El nuevo dardo
en la palabra

Fernando Lázaro Carreter

El nuevo dardo en la palabra

© De esta edición:
  2003, Santillana Ediciones Generales, S. L.
  Torrelaguna, 60. 28043 Madrid
  Teléfono 91 744 90 60
  Telefax 91 744 90 93

• Aguilar, Altea, Taurus, Alfaguara, S. A.
  Beazley 3860. 1437 Buenos Aires
• Aguilar, Altea, Taurus, Alfaguara, S. A. de C. V.
  Avda. Universidad, 767, Col. del Valle,
  México, D.F. C. P. 03100
• Ediciones Santillana, S. A.
  Calle 80 N° 10-23
  Bogotá, Colombia

  Diseño de cubierta: Grafica

Primera edición: enero de 2003

ISBN: 84-03-09340-3
Depósito legal: M-59.193-02
Impreso en España por Mateu-Cromo, S. A. Pinto (Madrid)
Printed in Spain

Índice

Prólogo

La acogida excepcional que, hace cinco años, obtuvo la compilación de artículos aparecidos con el título de *El dardo en la palabra*[1], me ha movido a reunir en otro volumen el conjunto de los que he publicado durante los cuatro últimos años en el diario madrileño *El País*. Lo hago con el deseo de que, juntos en un libro, se salven de la volatilidad aneja a la prensa y sean fácilmente consultables por los lectores.

   Procurar que el idioma mantenga una cierta estabilidad interna es sin duda un empeño por el que vale la pena hacer algo, si la finalidad de toda lengua es la de servir de instrumento de comunicación dentro del grupo humano que la habla, constituyendo así el más elemental y a la vez imprescindible factor de cohesión social: el de entenderse. Pero la estabilidad absoluta de ese sistema es imposible y, si lo fuera, resultaría gravemente nociva para los hablantes: por el lenguaje entramos en contacto con el mundo nuevo que sobreviene constantemente y al que la sociedad debe incorporarse para no quedar demasiado lejos de la vanguardia humana. Por ello, los idiomas cambian, inventando voces, introduciendo las de otros o modificando las

---

[1] Barcelona, Galaxia Gutenberg, 1997

propias, lo cual produce una fluctuación, a veces fuerte, del sistema lingüístico. Entre las dos tensiones, la de permanecer y la de cambiar, los hablantes van adoptando soluciones distintas, no siempre indiferentes: si muchas se incorporan fácil y útilmente al idioma, otras, en cambio, por causas distintas, manifiestan una indisciplina que hace peligrar la intercomunicación entre millones de hablantes, como es nuestro caso, y podría poner a punto de zozobra el futuro de la comunidad de los hispanohablantes, que, por el momento, se funda en su demografía colosal; fragmentado y diversificado el idioma común, disminuiría de modo pavoroso la fuerza de las parcelas resultantes.

De ahí que su mantenimiento y la máxima unidad en los cambios sea cuestión esencial, desatendida, en general, por los Gobiernos —que poseen el arma decisiva de los planes escolares— y que recaiga casi toda la responsabilidad idiomática en los medios de comunicación. No es unánime la asunción de tal incumbencia entre éstos; casos hay, sobre todo en los audiovisuales, donde ni siquiera se sospecha que esa misión les corresponda. Y ello porque muchos comunicadores piensan que se conquista la adhesión de los oyentes y espectadores dejando sin controles la expresión, aplebeyándola, a veces hasta su envilecimiento; en eso consiste, según sus ideas, hablar «el lenguaje de la calle». (Naturalmente, es el de la calle de la ignorancia).

De ese modo, dada la situación actual, esa incumbencia corresponde esencialmente a los hablantes a quienes una enseñanza primaria y secundaria responsable ha sensibilizado para estas cuestiones, les ha imbuido una conciencia crítica y alerta, y los ha inducido a la lectura. A quienes mantienen esa atención o desean adquirirla van destinados estos «dardos», que proponen a sus lectores reflexiones idiomáticas sin pretensión de infalibilidad, antes bien, con el deseo de establecer un contraste con otros sentimientos del lenguaje. Aunque las turbulencias afectan también a la sintaxis —alarmantemente puerilizada— es en el léxico donde más chocan, y a él se consagra la mayor parte de estos artículos.

La intrusión de voces nuevas en cualquier idioma, en el nuestro por tanto, suele motivar reacciones poco complacidas, incluso entre quienes cada día viven inmersos en un ambiente anglosajón, y se ponen un *slip* y no unos calzoncillos, o se meten en unos *pantys* y no en unas medias, sin percibir que, llamándolos así, están ofendiendo el que creen sagrado honor de nuestra lengua. Parece evidente que el mundo moderno se encamina hacia la neutralización de las diferencias de costumbres, modas y gustos mediante la adopción, no sólo voluntaria sino entusiasta, del modelo de vida norteamericano. Poco a poco o con rapidez, nuestra sociedad se está apropiando de gestos mentales distintos a los precedentes que, como resultado de la acción del tiempo, podía considerar suyos, aunque en parte fueran también importados. Los entrenadores de fútbol ya no suelen recomendar furia a sus jugadores, sino que se relajen, mucho *relax*; un ansia universal de relajación nos ha invadido (antes, la *relajación* era mala cosa; la definían así los austeros académicos que, en 1817, la introdujeron en el Diccionario: 'Decadencia de la debida observancia de la regla o conducta que exigen las buenas costumbres, o de la disciplina y buen orden que se debe observar en cualquier profesión'). Se estudia y se trabaja también con música *relajante*. Vestimos *vaqueros* a la moda de Tejas, desayunamos *cereales* a la americana, endulzamos el café con *sacarina*, acudimos al trabajo en un *automóvil*, y aliviamos las *retenciones* escuchando un *compacto* de música *pop;* buscamos con ahínco *aparcamiento*, estamos en la oficina con *aire acondicionado*, y cumplimos con lo que exige nuestra *plena dedicación*, ocupándonos de asuntos *puntuales* para ajustar nuestro trabajo a la *filosofía* de la *firma;* hacemos huelga para exigir un aumento *lineal* que compense la *inflación*. Otros vamos al *campus* universitario para hacer un *master* en *software*. Comemos en un *snack* de *autoservicio* tal vez *un perro caliente* con cerveza *light*, volvemos a casa, consagramos algún tiempo a nuestro *hobby*, que es quizá algo de *footing* por la vecindad, seguido de más *relax*, con un *whisky*, un *bourbon* o un *maría sangrienta* mientras picamos *frutos secos*, y *debatimos* con la esposa o compañera o compañero *sentimental* el próximo *fin de semana;* comentamos un interesante *reportaje* del *magazine* acerca de los *famosos* y *famosas* que se han hecho un *lifting*. La cena, en que no faltan *vegetales* por su benéfica *fibra*, y algún plato *precocinado*, da paso a la *televisión* donde veremos un *serial* norteamericano, un *filme* de *suspense*, o un *western*.

Este movimiento anímico, que pasa de lo autóctono a lo advenido con o sin conciencia de hacerlo, y que lleva a unos hablantes a rechazar, a otros a admitir y a los más a hacer ambas cosas, no delata hipocresía, ni, si se me apura, contradicción, sino que constituye una evidencia de cómo vive el idioma en la cabeza de los hablantes, en nuestra alma. Lo hace entre el repudio de lo alienígena, porque nos desvirtúa, y la aceptación resignada, entusiasta o inadvertida de cuanto lo renueva y lo hace más útil para vivir con los tiempos.

Es fácil predecir que esta pugna entre ambos extremos no acabará nunca, al menos, mientras no cambie, y va para largo, todo aquello que la civilización grecolatina legó a la nuestra. Porque, en efecto, el problema ya se sentía en Roma, con el griego flanqueándola por todas sus orillas: Horacio nada menos, canon de la latinidad, defendía la licitud de emplear vocablos recientes en lugar de los viejos, aceptando con melancolía que, decía, «la muerte ejerce sus derechos sobre nosotros y sobre nuestras cosas».

¿Cuándo comienza ese pequeño —o no tan pequeño— drama en España? No pudo empezar, es claro, mientras no se sintió que el idioma estaba plenamente constituido y lo reconocieran así los hablantes; sólo entonces podían empezar a producir extrañeza las presencias no familiares. Ello ocurre a partir del Renacimiento, es decir, durante la primera mitad el siglo XVI. Surge entonces una conciencia crítica —por supuesto no unánime— acerca de lo propio y de lo ajeno en el idioma; da testimonio de ello Juan de Valdés, el cual, comentando en su *Diálogo de la lengua* la abundancia de arabismos, asegura que «el uso nos ha hecho tener por mejores los [vocablos] arábigos que los latinos; y de aquí es que decimos antes *alhombra* que *tapete*, tenemos por mejor vocablo *alcrevite* que *piedra sufre*, y *azeite* que *olio*». He aquí, pues, reconocida por Valdés, una causa fundamental del neologismo: el tenerlo por mejor que el término propio sin causa aparente. No olvida, como era de esperar, la otra causa más palmaria: la necesidad de servirse del término árabe para «aquellas cosas que hemos tomado de los moros», dice, sin tener manera neolatina de nombrarlas.

Más adelante, declara su posición ante las voces nuevas, que en aquel momento casi sólo podían ser italianas, pues lo proveniente del latín parecía de casa. Valdés, quien interviene con su nombre en el *Diálogo*, enumera algunas que el castellano debería adoptar, como *facilitar, fantasía, aspirar a algo, entretejer* o *manejar*, por lo cual sufre el reproche de otro de los coloquiantes, Coriolano, precoz purista: «No me place que seáis tan liberal en acrecentar vocablos en vuestra lengua, mayormente si os podéis pasar sin ellos, como se han pasado vuestros antepasados hasta ahora». Otro tertuliano, Torres, interviene con decisión: cuando unos vocablos ilustran y enriquecen la lengua, aunque algunos, se le hagan «durillos», dice, dará su voto favorable y, «usándolos mucho», prosigue, «los ablandaré». Un cuarto personaje, Marcio, toma la palabra: «el negocio está en saber si querríades introducir estos por ornamento de la lengua o por necesidad que tenga de ellos». A lo que Juan de Valdés contesta resolutivamente: «Por lo uno y por lo otro».

He aquí, pues, planteado ya el problema a la altura de 1535, bien manifiestas las actitudes fundamentales en torno al neologismo, que habrán de ser constantes con el correr de los siglos hasta hoy. El *Diálogo de la lengua* ofrece, además, un testimonio muy importante acerca de otro fenómeno que induce la mutación en los idiomas: la sensación de vejez que rodea a ciertas palabras, y la necesidad que sienten las generaciones jóvenes de sustituirlas por otras de faz más moderna, la que antaño había llevado, por ejemplo, a cambiar *ayuso* por *abaxo*, *cocho* por *cocido*, *ca* por *porque*, o *dende* por *de ahí*.

Durante el siglo XVII, el prurito innovador fue máximo en la literatura, aunque muchas novedades no fueron asimiladas por el pueblo común, al que, como es natural, no llegaban las osadías de Herrera o de Góngora, y ni siquiera las que oían a sus predicadores: el goteo de sus novedades apenas si caló en la lengua común, y no pocas fueron ridiculizadas en papeles de regocijo. Pero sobre esa lengua de todos, he aquí lo que pensaba fray Jerónimo de San José, en su *Genio de la Historia*, de 1651: aunque la decadencia española era ya patente, aún se mantiene el orgullo imperial, el brío español, dice, «no sólo quiere mostrar su imperio en conquistar y avasallar reinos extraños, sino también ostentar su dominio en servirse de los trajes y lenguajes de todo el mundo, tomando libremente lo que más le agrada y de que tiene más necesidad para enriquecer y engalanar su traje y lengua, sin embarazarse en oír al italiano o francés: este vocablo es mío; y al flamenco o alemán: mío es este traje. De todos con libertad y señorío toma, como de cosa suya [...]; y, así, mejorando lo que roba, lo hace con excelencia propio». Los neologismos, lejos de causar aprensión, constituían, pues, un honroso botín.

El francés, como es sabido, impone su yugo al resto de los idiomas europeos durante el siglo XVIII en coincidencia con la instalación de la dinastía borbónica en Madrid y con una aflictiva depauperación cultural de España, especialmente patente en el cultivo de la filosofía y de las ciencias naturales, porque no se ha contado con nadie comparable a un Descartes, a un Pascal, o Kepler o Galileo; los «novatores» del XVII, cualquiera que sea su importancia indicativa de una conciencia más lúcida que la dominante, no podían contrarrestar la infecundidad de ésta.

Los franceses marcan la pauta de la modernidad, y nuestros hombres más reflexivos señalan el camino que deben seguir los españoles para instalarse en ella. Como paso previo, hay que asimilar el saber de nuestros vecinos, estudiándolo. Para lo cual, deben vencerse creencias sólidamente arraigadas. El siempre benemérito P. Feijoo lanzará una proposición escandalosa: que los jóvenes no sean obligados a estudiar latín y griego, pues las obras maestras escritas en tales lenguas ya están traducidas a los idiomas modernos. Que aprendan, en su lugar, lenguas vivas, y, en primer término, el francés, en el cual, afirma, «hablan y escriben todas las ciencias y artes sutiles». Fue enorme el revuelo que produjo esa *Carta erudita* de 1756 por su carácter revolucionario, y porque caía en medio de un fuerte afrancesamiento de las costumbres y de la parla diarias, sometido a fuertes polémicas. Es por entonces cuando el problema del neologismo sale de los círculos minoritarios de escritores y letrados, para dar lugar a un verdadero y secular debate público.

Cobran cuerpo, en efecto, aquellas posturas que veíamos tan bien esbozadas en el *Diálogo de la lengua*; las resistentes se agrupan por entonces en torno de dos actitudes hermanas: casticismo y purismo. El casticismo había surgido en la primera mitad del siglo XVIII, apoyado por la Academia, que, al determinar cuáles eran las palabras legítimamente castellanas, patrocinaba directa o indirectamente su empleo y, en su caso, la resurrección de las que eran de casta. La Academia no fue fundada, en realidad, para combatir los galicismos, porque aún no constituían problema en 1713; su propósito fue sólo el de «fijar» la lengua, que, según ella, había alcanzado su perfección en los Siglos de Oro. Será más tarde, ya en la octava década del siglo, cuando dicha institución abandone aquella actitud, en cierto modo neutral, hostigada por una opinión muy extendida que la juzgaba inoperante. Cuando convoca en 1781 el concurso para premiar una sátira contra los vicios introducidos en la poesía española, se incorpora al otro movimiento, gemelo, pero no coincidente. Porque mientras el casticismo limita su aspiración a mantener activo el caudal léxico castizo, el purismo es una fuerza que pugna indignadamente contra la novedad.

18

Son, como es de rigor, los más inquietos espíritus del siglo quienes intentan romper el encorsetamiento de idioma. Feijoo había emitido opiniones tajantes: «¡Pureza! Antes se deberá llamar pobreza, desnudez, miseria, sequedad»; [los puristas] «hacen lo que los pobres soberbios, que quieren más hambrear que pedir». Para introducir un neologismo, no es preciso que nos falte un sinónimo: es abolutamente valdesiano cuando afirma: «basta que lo nuevo tenga o más propiedad, o más hermosura, o más energía». Jovellanos desdeña a las personas «escrupulosas», dice, que se han alarmado por la impureza idiomática de su tragedia *Pelayo*. El primer Capmany asegura que «todos los puristas son fríos, secos y descarnados». José Reinoso, en la Academia de Letras Humanas de Sevilla (1798) reconoce el derecho que tiene toda persona instruida a innovar con tiento. Alvarez Cienfuegos un año después, hablando con el lenguaje de la Revolución francesa en sesión solemne de la Academia Española, expone que lo humanitario, lo fraternal, anula todas las diferencias de castas, pueblos y lenguas, y se pregunta: «¿Por qué no ha de ser lícito a los presentes introducir en la lengua nuevas riquezas traídas de otras naciones?... ¿No es una preocupación bárbara el querer que cada lengua se limite a sí sola, sin que reciba de las otras los auxilios que pueden darle y que tan indispensables son para los adelantamientos científicos?».

Durante el siglo XIX, se producen hechos importantes en el vivir de todas las lenguas y, como es natural, en el español. Las convulsiones políticas resultantes de la Revolución francesa y los exilios motivan numerosos neologismos correspondientes a un cierto modo de vivir y convivir. Los liberales y los románticos aportan entonces abundantes términos ingleses y franceses. La libertad en política y en arte instauran una nueva realidad, antes, aparece en la América insurgente que en España, y, por supuesto, mucho antes de que la Academia se diera por enterada. En la lengua de un hispano culto y políglota como fue Simón Bolívar, tan bien estudiada por Martha Hildebrandt, abundan muchos vocablos que tardarían en entrar en el *Diccionario*. Adopta del francés, numerosas voces, como digo, a la vez o antes que en España. Así, emplea normalmente *patriota*, en documentos de 1812, vocablo al que no dará entrada nuestro principal vocabulario hasta 1817: del mismo modo, utiliza en 1813, *terrorismo*, término que un benemérito lexicógrafo nuestro, Núñez de Taboada, en contacto profesional con idiomas extranjeros, introduce en su diccionario de 1825; la Academia no lo hace hasta 1869, advirtiendo, con evidente desfase, que «es voz de uso reciente». Bolívar usa *liberticida* en 1826, que no llegará a nuestro *Diccionario* hasta 1931, más de un siglo después. Se refiere a cortes *constituyentes* en 1826; tardará cuarenta y tres años en ser oficialmente reconocido tal adjetivo. Recurre también a *diplomacia* en 1825; aquí tardó siete años en asomarse a nuestro léxico. *Secretario de Estado*, que entra en 1936, era voz usada por Bolívar en 1818. Emplea palabras como *congreso*, *rifle* y *complot* bastante antes de que fueran consideradas por la Academia. Sin embargo ésta, como siempre, hizo lo que pudo y, en la edición de 1852, cuando ya eran Académicos varios de los escritores que habían padecido destierro por la represión absolutista, se hispanizaron numerosos extranjerismos en «todos los ramos de la instrucción pública», según se hizo notar en el prólogo.

Fue muy liberal y hasta libertario en lengua el siglo XIX, y así lo reconocía anatematizándolo, uno de los múltiples Coriolanos que, desde el *Diálogo* de Valdés, le han ido surgiendo al idioma hasta hoy, el padre Mir, que, en 1908, confesaba este piadoso propósito: «Téngome puesta la penitencia de rogar a Dios nuestro Señor por todos los galicistas, a fin de que, torciendo del mal camino, se conviertan de sus malos pasos a los de la purísima lengua, en honra, lustre y servicio de nuestra nación».

Pero, en fin, esta historia de criterios opuestos es interminable. Ornamento o necesidad, según dictaminó Juan de Valdés hace más de cuatro siglos, deben atraer y atraen voces nuevas. Sobre la necesidad, no cabe opción: las cosas que se adoptan, como algunas que antes hemos nombrado y, por supuesto, muchos tecnicismos, entran sin demasiadas reticencias con su nombre ajeno tal cual (*sandwich*) o calcado (el *ratón*, inglés *mouse*, del ordenador). El problema se plantea conflictivamente ante el primer término de la disyunción de Valdés: el ornato. Muy posiblemente, él lo entendía como simple embellecimiento, o porque lo nuevo sonaba mejor, o porque arrumbaba material envejecido (*amante*, traído del poético y prestigioso italiano, para sustituir nuestro medieval *amador*). Hoy subsisten esas causas, como es natural, con matizaciones muy diversas. Así, hay vocablos que parecen feos por rudos, se evitan y se sustituyen; *sostén* nombraba tal prenda en el Diccionario desde 1927; sin embargo, este vocablo, empleado con frecuencia sugerentemente («No era consciente de su leve falda airosa, de que no llevaba sostén bajo la blusa...», Marsé. «Cuando aparece por fin a la puerta de la choza sin el vestido de percal, cubierta sólo con las bragas y el sostén, el hombre se abalanza a ella como un animal macho en celo», Grosso), pareció tosco, y *sujetador* acudió a reemplazarlo entre abundantes hablantes, con la acepción neológica actual; por los años sesenta lo escribe Delibes, y en

21

1984, sin prisas, lo reconoce la Academia. Historia parecida puede ser la de *taparrabos*, que desde el XVIII nombraba el trapo circunstancial de pueblos exóticos y de poca crianza, que, por los años veinte, se puso de moda para designar también el *cache-sex* para varones de todas clases, pero que hoy cede claramente ante el recuperado *bañador* (figura en el Diccionario desde 1884 en su significado de 'prenda de baño'), que no marca diferencias y ofrece así la ventaja democrática de cubrir por igual a hombres y mujeres. (Lo cual ocurre también con el *tanga*, cuyo nombre de origen tupí, llegado a Europa a través del portugués, sirve para designar la miniatura absolutamente desinhibida del bañador unisex, más acorde con la actual franqueza de costumbres). Todas estas cosas, y muchas más, constituyen ornatos valdesianos del hablar.

Otras veces, los cambios «embellecedores» obedecen a causas sociales: es muy palpable el retroceso del término *obrero*, mientras aumenta *trabajador*; en los cinco últimos lustros, el archivo académico registra unos ocho mil casos del primero, y se aproximan a veinte mil los de *trabajador*, voz que neutraliza las connotaciones molestas de *obrero*, incluida la de incultura: hay, incluso, numerosos profesores que, allá ellos, gustan clasificarse como *trabajadores de la enseñanza*.

Y son, sin duda, las más frecuentes aquellas galas que el idioma recibe desprendiéndose de lo *malsonante (hacer el amor)* o blasfemo *(mecachis en la mar)* y de lo fisiológicamente sucio, por donde se entra en el eufemismo neto. La Academia, al definir el viejo vocablo *mear* en 1734, advertía: 'Dícese con más policía *orinar*'. Pero aun esto se ha considerado agreste, y se ha abierto camino el galicismo *hacer pipí*, presente en francés desde fines del siglo XVII y reconocido por nuestro Diccionario en 1984, aunque su generalización se documenta veinte o treinta años antes. Después, relegado el *pipí* a la lengua infantil, apareció la onomatopeya *hacer pis* (en relación con el inglés *piss*, del francés *pisser)*, palabra que hoy no se evita si urge usarla, y que es de mucha mayor «policía», dónde va a parar, que *mear* o incluso *orinar.*

Pero está el otro impulso para los cambios, el de la necesidad de ellos o de las palabras nuevas: ¿cuándo actúa? Repetimos que, de manera imperiosa, cuando hay que nombrar las cosas, muchas de ellas extranjeras, que van apareciendo y que antes no tenían nombre, en ciencia, técnica, política, economía, sociología, artes, modas... Se trata de una precisión, diríamos, objetiva, impuesta por el mundo. Pero hay otros tipos de necesidad. Está, por ejemplo, la de quien precisa lucirse personalmente, distinguiéndose del vulgo, y dice *almorzar* por 'comer al mediodía'. El prestigio de lo nombrado —y es muchas veces preciso ponerlo ante ojos y oídos— se impone también como causa de necesidad para la innovación. Es casi seguro que una clínica se quedaría sin clientela si en lugar de anunciar *liftings* ofreciera *estiramientos de piel;* por tanto, *lifting* es palabra imprescindible. La vieja *permanente*, privilegio de ciertas mujeres pudientes en la primera mitad del siglo XX, se generalizó y fue haciéndose hortera; la técnica del *moldeado* acudió a sucederla con prestigio. Para llamar al balonvolea, muchos implicados en ese juego prefieren *volleyball;* el *golf* no agradaría tanto si se hispanizaran *fairway, green, putt o drive;* ni el tenis sin el *smash*, ni el *waterpolo* sin este nombre: el empleo de tales voces confiere reputación de entendido frente a los ignaros, y por tanto se sienten como ineludibles para atraer admiración a la cosa y, por tanto, a quienes la llaman así.

Los xenismos o extranjerismos que se introducen sin maquillaje castellano alguno, tal como se escriben en su lengua de origen, e incluso se pronuncian mejor o peor que en su procedencia, penetran ahora con suma facilidad en todas las lenguas; y ello, porque el acceso a las cosas que designan ya no es privilegio de una minoría distinguida, como antaño, y porque sus nombres entran por los ojos: el alud avasallador de la publicidad en prensa y televisión constituye una imparable vía de penetración de xenismos, anglicismos sobre todo, que, poco a poco, van configurando de modo distinto la estructura de nuestro léxico y de nuestra escritura. Durante el siglo XIX y gran parte del XX, se adoptaron múltiples vocablos sólo o casi sólo por el oído. Entró, por ejemplo *tricotosa* (del francés *tricoteuse*), porque es así como sonaba en los talleres textiles, con una pronunciación hispanizada sin pretensiones. El léxico del ferrocarril ofrece testimonios claros de que esto fue así: voces como *vagón*, *raíl*, *compartimento*, *túnel* o *ténder* se incorporaron al español desentendiéndose de la escritura inglesa. En el fútbol, que empezó a jugarse en España hace poco más de un siglo, ocurrió igual: ahí están *fútbol* mismo, *gol*, *penalti* o *córner*; pero, en deportes más modernos, el extranjerismo se muestra con su faz por las causas que hemos dicho.

Hoy han encontrado acomodo en nuestro vocabulario múltiples palabras de esos tipos, que no ocultan su naturaleza forastera a personas con alguna instrucción (quienes no la tienen, consideran tan propios *butic* y el letrero *boutique*, como *botica* o *bodega)*, pero ahí están avanzando por necesitarlas el lenguaje de todos o sólo el de algunos. Con mayor facilidad ingresan los términos que, si acaso, requieren un leve retoque para hacerse hispanos; por lo cual, se extiende un rápido certificado de nacionalidad a *crucial*, por ejemplo, o a *informal* o a acuerdo *puntual*, o a *prefabricado, inflación, cibernética*, o *líder* y *procesar* datos: se dejan pronunciar, algunos existían en español con significado distinto, y no parecen los rotundos extranjerismos que son. Por supuesto, se normalizan enseguida los calcos, esto es, los términos que traducen el original, como lo fue en el XIX *madre patria (la mère patrie)*, y más tarde *luna de miel (honeymoon)* o, en nuestros días, el ya citado *ratón* con que ponemos *negro sobre blanco*.

***

De estas cuestiones, de la vivaz presencia de las palabras en el escenario de la lengua tratan los «dardos» siguientes. No son en ningún momento «puristas», con la carga de desprestigio que, como vimos, acompaña desde hace siglos a las actitudes intransigentes con los cambios en la lengua «de siempre». Las neologías son precisas, anejas a la evolución de las sociedades y de los individuos. Cuando un término nuevo se inserta entre nosotros para nombrar aquello de que carecíamos y que enriquece nuestro vivir práctico o mental, debe ser acogido con satisfacción e incluso albórbola. A veces es un matiz lo que se importa: basta con que añada un nuevo rasgo que permite ordenar y entender mejor el mundo, Así, *poster* parece a muchos que suple torpemente a *cartel*, pero carecen de razón porque el primero no tiene intención inmediatamente anunciadora: se cuelga con intención artística, ideológica, erótica..., pero carece del reclamo anejo al cartel. Se trata, pues, de un buen neologismo por aportar una nota distinta y útil.

Pero hay algo común a estos artículos: la denuncia de los desmanes que la voz pública comete con nues-

25

tra lengua por falta de instrucción idiomática, de atención a los usos mejores y al sentido común muchas veces. Ello determina el ultraje al idioma en lo que se habla o se escribe, y la creencia de que todo sirve indiscriminadamente, incluso las invenciones, las alteraciones de lo comúnmente admitido y las ocurrencias. Abundan tanto, que constituyen una radiografía desoladora sobre la aptitud de muchos que tienen el idioma como instrumento principal de trabajo para usarlo: periodistas, abogados, profesores, políticos, publicitarios.... Lo cual tiene efectos perversos sobre el habla —y la inteligencia— común, ya que frecuente y abundantemente anulan distinciones importantes (entre *oír* y *escuchar*, por ejemplo, o entre *deber* y *deber de*), o difunden vulgarismos insoportables (*alante* por adelante), o reducen pavorosamente nuestro caudal léxico (*terminar, acabar, concluir, dar fin*, palabras sacrificadas a *finalizar*; o *empezar, comenzar, emprender* y tantos verbos más, desalojados por *iniciar*; *súper*, formante insufrible y estúpido de los nuevos superlativos; confusiones horripilantes (*humanitario* por *humano*) y tantos hechos más. A todo esto se refiere lo que escribo a continuación, con una particularidad: los errores o dislates individuales aparecen sólo como excipientes irónicos o humorísticos de cuestiones relativas a la lengua común. Los inagotables disparates de hablantes aislados pueden ser ocasión de regocijo o de pena: insisto en que no constituyen objeto principal de los «dardos», cuyo núcleo pretende ser un hecho idiomático que afecta a todos o a gran parte de los hablantes. Y ello sin la pretensión de que mis críticas o propuestas sean indiscutibles; al contrario, como he dicho, desean suscitar un contraste con lo que parecen a los lectores, en conformidad con ellas o disintiendo.

En definitiva, sólo quieren ser acicates que estimulen la reflexión continua acerca de nuestros usos del español: al fin, una gimnasia mental permanente como prevención contra la ruina neuronal.

F.L.C.

1999

Buenas madrugadas

En nada me siento menos imperito, gracias al insomnio, que en radiofonía nocturna: la palabra es mi oficio, y me interesa más que, verbigracia, los motines estruendosos del rock o de la salsa. Da gloria oír la voz humana en faenas noticiosas, tertulias poliopinantes, señuelos de médicos taumaturgos (en un anuncio, el propio san Pedro afea los juanetes a un nuevo huésped celeste), de videntes sagaces (si el consultante se acoge a lo esotérico) o de psicólogos al minuto (si opta por la ciencia), y, muy en especial, cuando el comentarista la emplea para conducir por la jungla del deporte. Va creciendo el interés cuanto más se penetra en la noche: algunas emisoras ceden entonces su antena a espontáneos comunicantes que, amparados en el anonimato de la llamada, cuentan lo que ni el cura oye (*escucha*, prefieren los radiohabladores) en su receptoría de pecados.

Allí dan noticia de sí adictos a una u otra adicción, adúlteros, dipsómanos, jugadores, mansos, *desventurados*, arrebatados, suicidas, discrepantes de su sexo y del contrario, putas, cursis, enfermos, coñones, putos, engañados, cándidos y cándidas supervivientes de remotas edades que creen en el celestineo de hechizos o ensalmos: se trata de un censo no pocas veces conmovedor. En ocasiones, son simples perplejos. Llama, por ejemplo, una muchachita sollozante: al llegar a casa sin ser esperada, ha hallado a papá laborando en tajo ajeno: ¿se lo dirá a su madre? Un incógnito acude a su pregunta: encontró a mamá con su taller ocupado, no se lo dijo a papá y hay paz en el hogar; el mutismo le parece aconsejable. Pero he aquí que cuando fascina tan exacta simetría, irrumpe un malasombra contando que su desconcierto fue mayor, porque sorprendió a su abuelo alborozándose en el lecho con un mozo. Se lo calló en casa, y el viejo le ha quedado en deuda para siempre; se la está cobrando en metálico a plazos frecuentes. Aplíquese, pues, la llorona, y que calle y exprima.

Cuando estas confidencias empiezan a llegar —algunas sólo son aptas para mayores recalcitrantes o para deficientes— no pasa mucho de la media noche; algunas emisiones, pocas aún, van diciendo adiós a su audiencia deseándole *¡Buenas madrugadas!*; y hay programas, tampoco muchos por el momento, por fortuna, que salen al encuentro de sus oyentes con el mismo gentil saludo: *¡Buenas madrugadas!* La nueva finura, repetida una y cien veces por sus adictos, hiere la noche como una lluvia de rejones clavados en el idioma: *¡Buenas madrugadas!* Quien oye sintiendo sufre calambres al comprobar cuánto crecen la anemia idiomática y la anomia en muchos hablantes obligados por su profesión a respetar la ley común. Ni siquiera muestran sentido de lo risible.

Es claro el origen de este reciente espantajo: se ha formado analógicamente sobre el modelo de *buenos días*, *buenas tardes* o *buenas noches*. Y no resulta más difícil percibir su causa: es permanente la incertidumbre al señalar las horas nocturnas posteriores a las doce. Vacilamos entre *la una de la noche* o *la una de la mañana*, incluso para referirnos a *las dos* o a las demás. Pero es muy posible que, con énfasis, hablemos también de *la una, las dos* o *las tres de la madrugada:* esto último dirá quien se queja por trabajar hasta esas horas, y lo preferirán los padres escamados con el tardío regreso de sus crías al nido; pero no hay duda de que *las cuatro* o *las cinco* pertenecen ya a la madrugada. Hasta más o menos las seis, en que empieza la mañana (aunque tampoco extrañarían *las cuatro, las cinco* o *las seis de la mañana*).

En general, las perspectivas del hablante deciden la elección. A quien no le urge el sueño se le oirá contar que estuvo leyendo hasta *las dos o las tres de la noche;* pero otros preferirán acortarla, como esos padres quejosos de que la prole no se recoja antes de *las dos* o *las tres de la madrugada* o *de la mañana.* Con estas últimas referencias, la mente tiende hacia la aurora; si fondea en *de la noche,* puede correr el reloj casi hasta que sale el sol. Recuerdo cuánto me desmoralizaba en la Europa norteña ir por la calle a la una o las dos —para mí, *de la noche*—, y ya estaban los cargantes pajaritos gorjeando, trinando y piando al día que se desperezaba por los tejados: me convertían en libertino, cuando sólo acababa de cenar —a la española con algo de charla—, y me retiraba buscando la dosis ordinaria de cama.

Pero una cosa es el complemento gramatical de una hora determinada, en que tan flexible se muestra nuestro idioma, al igual que el de otros vecinos, y cosa bien distinta el sustantivo *madrugada,* firme en todos para nombrar sólo el amanecer, el alba o la alborada, y que en modo alguno remite a las altas horas oscuras en que esas emisiones radiadas acontecen; varias de las cuales, por cierto, acaban justamente cuando empieza la amanecida. Con esa firmeza significativa, la locución *de madrugada* significa exclusivamente, diccionario en mano, 'al amanecer, muy de mañana'.

Pero las innovaciones en el idioma siempre obedecen a una necesidad, sea o no necedad. De hecho, el cambio de costumbres es el inductor de ¡buenas madrugadas! Hasta no hace mucho, ¿era preciso saludar durante las horas comprendidas entre las buenas noches y los buenos días, dedicadas por casi todo el mundo al sueño y sus aledaños? No, por supuesto, con una precisión que exigiera soluciones al idioma. Hoy el noctambulismo se ha hecho casi multitudinario; el juvenil, por ejemplo: aunque a efectos radiofónicos cuenta poco, ha creado una enorme noche adolescente que engloba la salida del sol. Y hay la creciente legión de quienes trabajan a esas horas transportando, vigilando, sufriendo, curando, fabricando, adicta a la radio o, como yo, aguardando el sueño mientras oye (repito: ¿debería decir escucha?), que somos destinatarios de estas emisiones lunares y de sus saludos. De paso, algunos saludadores se distinguen de quienes radian a recién cenados: ocupan, en efecto, un trecho temporal bastante bien definido —el correspondiente al sueño de los más—, al cual regatean el nombre legítimo; porque es, ni más ni menos, un trozo de la noche, como el que le precede (o, ya, de la mañana, si así gusta). Y se desea afirmar la diferencia también en el lenguaje, y, para ello, usan algunos esa cortesía tan cómica, potenciada por el falso plural, madrugadas. Pero ¿qué necesidad hay de ella? Bastaría un buenas noches al empezar, y un buenos días al terminar, si la aurora está próxima; los zalameros podrían anteponer a días otros adjetivos más sugestivos: risueños, placenteros, triunfales, encantadores..., qué sé yo. O, mejor, no desear nada, con un escueto hasta mañana. A mí, a la una y media o a las dos, eso de buenas madrugadas me resulta inquietante —como las avecillas germanas— porque sugiere que la noche se me ha pasado en blanco y que está llegando el quiquiriquí.

Se trata, por cierto, de un plural muy curioso y frecuente en español. Aparece en las *buenas noches* (o *días* o *tardes)*, en las *Pascuas* felices (nadie piensa que son tres) o en las *Navidades;* también en muchas formaciones semánticamente audaces o morfológicamente raras *(cantamañanas, pintamonas, ablandahigos, a sabiendas, de mentirijillas, entendederas, parar mientes...:* ¡son tantas!). Y en general, ayuda a constituir texturas idiomáticas anómalas, es decir, creadas fuera de las normas comunes de nuestro sistema, y a incrustarlas, por su faz singular, en la memoria del hablante. Entre ellas, salutaciones rituales y felicitaciones como las antedichas, a las cuales aspira a sumarse la recién nacida, y que mi idioma, el que uso desde siempre, por mucho plural que se le ponga y mucho trémolo oral, se propone excluir. Dígase cualquier cosa menos ésa, y déjese enseguida el micro a los espontáneos, que, a veces, alumbran criaturas asombrosas, como aquella pobre mujer, hace pocas noches, nada sumisa a las tundas del bestial marido: se estaba *desvorciando*.

El rollo

Es muy frágil el suelo de los enamorados, ya sean de larga duración o de usar y tirar. Idiomáticamente quiero decir: nunca habían estado tan inseguros los modos de nombrarlos. Fue firme durante siglos el vocablo *amante*, tomado al latín en el siglo XV, directamente o mediando el italiano. Era la persona que amaba, normalmente el hombre; la mujer era la *amada*. El término no enjuiciaba la calidad del amor: iba desde el de baja y sustanciosa estofa hasta el místico. Por eso, los diccionarios antiguos definen *amante* sólo como 'quien ama'.

Pero la terca sospecha de que el manto de *amante* cobijaba algo más que ojos y ternura, desambiguó el vocablo dejándolo en cueros. Dos siglos más tarde, con la valiosa ayuda del francés, idioma siempre golfo, se había consolidado en español para designar al hombre o a la mujer (rey y reina incluidos) que, de modo casi institucional, compartían persistente lecho, y techo a veces, fuera del matrimonio. La Academia tuvo que rendirse a la evidencia, y, en 1899, con el aval probable de algunos de sus miembros, reconoció *amante* como voz sinónima de *querido, -a*. Pero ésta es otra historia y la misma.

Porque ¿no es lógico llamar también *querido* o *querida* a quien se quiere? Y así se dijo durante siglos, sin rijo necesario. Un personaje de Torres Naharro llamaba su *querida* a la virtuosa y alegórica Virginidad, en 1505. Cuando algún pastor de la *Diana* (1559), se creía en el edén gozando (sic) de su *querida* no es que anduviera esbozando un gañancillo: estaba cambiando impresiones con la zagala sobre la dulce belleza del valle. El gran Aldana elogia en 1560 a una monjita «a quien Dios por su *querida* quiso». En cambio, el deslenguado Cide Hamete narra en 1605 cómo, yaciendo don Quijote en su fementido lecho de la venta con el pensamiento abismado en Dulcinea, le cayó en los brazos Maritornes que, habiéndose concertado con un arriero en aquel camaranchón, iba «buscando a su *querido*».

Y de ese modo, esta voz y *amante* se hicieron gemelas en ambas orillas del idioma, con un distingo: las gentes bien comidas, era lo normal, podían tener *amante* y también *querido* o *querida*; los pobres, sólo esto último, aunque a mucha honra. Un peón *amante* de una planchadora hubiese resultado exótico: eran *queridos*.

Ocurre, sin embargo, que las dos palabras viven pero jubiladas desde hace unos treinta años; se puede decir que poseen *amante* un magnate o una dama de sangre antigua, ambos maduros. Pero el término le está casi vedado, si no se quiere echar énfasis, a quien es joven o, sin serlo mucho, tiene un IRPF negativo o de risa. A veces, el vocablo enfatiza la pericia en el empalme, y entonces sí, en un nivel culto se admite calificar a alguien de buen o buena *amante*, incluso al esposo o a la esposa que lo afrontan con arte encomiable.

Pero el trajín que se da ahora en el vaivén amoroso va cambiando deprisa estas y otras antiguallas, y manipulando tantos términos en el viejo arte del ligue, que bien podría darse un doblón por describirlos. Empezando por el *rollo*. Fue en su origen cualquier cosa cilíndrica o de forma tubular; rollo por excelencia era el tedioso atadijo de autos judiciales y, tal vez, mediando la abogacía, el vocablo se aplicó a lo que se desarrolla prolija y aburridamente: novela, conferencia, película, concierto, sermón, partido, corrida: todo. Por otras inducciones pudo producirse también ese significado de 'cosa y hasta persona pelma'. Así, *daban la lata* los soldados viejos que, en el XVII, andaban de despacho en despacho mendigando compensación a sus cicatrices y a las proezas que adveraba aquel *rollo* de documentos metidos en un tubo de *lata*. De ahí pudo venir también la equivalencia hoy perfecta de *latazo* y *rollo*.

Pero esta palabra significa también una doctrina, una creencia, una conspiración, una afición, cualquier cosa que cuente con adeptos o practicantes que están en ello. Lourdes Ortiz usó solventemente múltiples y vagas acepciones de *rollo* en su novela *Luz de la memoria* (1976), cuando aún eran meros vagidos o menores de edad. El vocablo, en esos contextos, carece de valor peyorativo y, así, una persona puede tener *buen* o *mal rollo* según le funcione la química. Pueden tenerlo dos personas o grupos o lo que sea, según sea su entendimiento. El amor en sus variadas degustaciones tanto duraderas como de trámite, es también un *rollo*, de tal modo que si dos personas, mediando cariño, sexo o ambos imanes, empiezan el trato encamado *se enrollan*; y *están enrolladas* si lo continúan. Antes mantenían un *lío* o se *liaban*, que era, según el parecer áspero de la Academia, 'enredarse con fin deshonesto dos personas; amancebarse'. Y es que *tener un enredo* y *enredarse*, hoy también en retirada, sinónimos de *tener un lío* y *liarse*, están siendo expulsados del uso por el nuevo *enrollarse*.

Como he dicho, el *rollo* actual entre sexos es complicadísimo y de imposible descripción aquí. Los *novios* de antes ya no lo son claramente: esa situación equivale también a la de los queridos. Es anejo al oficio de indecentes famosos y famosas de televisión, archicasados por lo regular, que mantienen, truecan y negocian noviazgos infinitos. Muchos matrimoniados de juzgado o de iglesia, talludos incluso, se refieren uno al otro como *mi chico* o *mi chica*, pareciéndoles eso de *esposo* y *esposa*, *marido* y *mujer* demasiado formal y administrativo. Muy abundantemente, el hombre o mujer de cualquier edad llaman *mi pareja* a quien está enrollado con ellos, sea homo o sea heterosexual, con lo cual, a falta de datos complementarios, deja dudoso acerca de quién comparte su lecho. *Tener una relación* remite siempre al jadeo. Y los amadores muy tiernos, de aquellos que Góngora llamaba casquilucios, hablan a lo platense de *mi pibito* y *mi pibita*. Por cierto, ya apunta en la parla jovencísima que, para confesar la atracción irresistible que alguien ejerce, se dirá sin más aclaraciones que *pone:* ese tronco o esa jay *me pone*. Y basta.

Casos todos ellos de reducción del lenguaje y, por tanto, de la mente. El ápice de tal merma era *tema;* se le suma *rollo*. Son voces que ahorran el esfuerzo de diferenciar; en *rollo*, con clara deliberación, sustituyendo una vieja hipocresía por otra. Gran signo de un tiempo en que tales suplantaciones son normales; quizá la menos dañina, sin dejar de ser hipócrita, es esta que acontece en el ámbito embrollado y placentero del amor.

Supertriste

Leído en la carta de una lectora a su revista: «Hoy hace un año que murió mi Candy y estoy *supertriste*». Candy era una graciosa iguana, y eso podría haberlo escrito también un lector, porque *super-* es unisex; y ambos, idénticamente, podrían haber dicho que estaban *superafligidos/as* o *superacongojados/as* o *superfastidiados/as*, si hablaban en versión de cámara y si transcribimos tales sentimientos con repugnante estilo de circular ortosexual. Esa tumescencia verbal ataca a millares de ciudadanos veinteañeros, y a una multitud talluda contagiada de su inmunodeficiencia idiomática. Estalla con vigor en los viernes de litro y jarana, pero no sólo: también brota en muy amplios sectores del «qualunquismo» hispano, desde el mercadillo a la boutique, y hermana a los famosos de tele y magacín con quienes los airean con provechosa simbiosis.

Y así, *super-* puede crecerle a cualquier adjetivo (o sustantivo) y hay miles de hablantes que se sentirían desvalidos si no ornaran sus calificaciones con ese bubón: su ligue les parece *superguay*, gozan de una pareja *muy supercálida*, y aquella lectora halló a Candy en el terrario donde dormía *supermuerta*. El ánimo de tales dilatadores endilga al adverbio el añadido de moda y se sienten *superbien* o *supermal;* tal vez aún no, *superregular.* Es el último estadio a que ha llegado por ahora la preposición *super,* que había sido fecunda en latín, ayudando a nacer palabras con el significado de 'encima de' o 'por encima de'. Muchas de ellas perecieron en su viaje a los romances, pero las sobrevivientes fueron tratadas con confianza, y *supercilium,* por ejemplo, se hizo *sobrecejo* en castellano, o *surcil* en francés antiguo.

Inquietantes sabios medievales volvieron a tirar de tal formante para señalar 'superioridad no espacial', en docenas de voces como *superabnegativus* de Boecio, *superflexus* de Sidonio, o, gala de aquel apogeo, *supereminentissimus* de san Fulgencio; pero eran indigestibles para el vulgo rudo que, por entonces, ya andaba haciendo picadillo la lengua de Horacio.

Hasta el siglo XVIII, el español sólo había acogido unas pocas voces de ese legado sabio, traídas del latín por los doctos: *superabundante, superbísimo, superficial, superfluo, superior...* En 1803, el Diccionario académico había incorporado otra como ellas, *supereminente.* Y hasta 1884 no abre un artículo para la «preposición inseparable» *super,* a la que, entre otras aptitudes, le reconoce la de significar 'grado sumo'; lo ejemplifica con el ya dicho *superabundante* y una palabra moderna: *superfino.* Era, sin duda, un galicismo de moda, que, por ejemplo, aparecía aquel año en *La Regenta,* y que se estaba empleando para calificar a las gentes de sangre delicada y a sus cosas, por ejemplo, a los lenguados pequeños —no mayores de diez centímetros— que el cocinero Muro exaltaba en 1894 como *superfinos.*

Cuando esperaríamos una creciente presencia lexicográfica de estas formaciones romances paralela al uso, sólo hallamos, en 1970, la inclusión de *super-* como formante castellano (y ya no como «preposición impropia»), indicio claro de que su presencia iba haciéndose activa y no podía dejar de reconocerse. Pero en el Diccionario no aparece ninguna voz de las que se usaban ya, dado el criterio de que, una vez consignados un constituyente léxico y su significación, no se reseñen, por economía de espacio, las voces a las que sólo aporta aquel significado; así, si se definen *super-* y *fino*, huelga *superfino*. Sin embargo, aún sigue residual en el infolio, y continuó ejemplificando, él solo, el uso superlativo del formante *super-*, hasta que, en 1992, se añade otra formación moderna: *superelegante*. Era la consagración oficial de su pujanza.

Y es que, si no Malherbe, había venido tío Sam, con su afición y falta de respeto al latín, y *super-*, pegado con el mayor desparpajo a nombres y adjetivos, le llovía a Europa desde los alrededores de 1940. Servía de arranque a una enorme cantidad de vocablos, a los que aportaba la idea de que la sustancia o cualidad con que aparecía desposado excedían mucho de lo normal (el *superhombre* nietzscheano había sido muy jaleado), de que eran «muy grandes», o de que poseían magnitudes no comunes *(superpetrolero, superpotencia, supercombustible, superbombardero, supersónico, superconductor, supersíntesis...)*.

Y así, *super-* se convirtió en arma imprescindible de la publicidad oral y escrita, que hacía de una película una *superproducción*, de un gran mercado un *supermercado* (luego, un *súper*), de un equipo un *supercampeón*, de un espía de celuloide un *superagente*, de una gasolina con más octanos un *supercarburante* (más tarde, la *súper)*; y proponía a la avidez general *estufas supercatalíticas, cremas superhidratantes, compresas superabsorbentes, desodorantes superleales* y *gomas supersensitivas*, mientras surgían abruptamente *superpolicías*, *superjueces*, *superministros* y *superministras*, *superlíderes:* pocos adminículos enfatiza-dores han mostrado mayor potencia genésica. Con más renuencia y parsimonia, el prolífico constituyente va apa-reciendo en textos literarios: *superintelectual* (Pemán, 1970), *superlleno* (Sábato, 1974), *superadulto* (Onetti, 1979), *superedípico* (García Hortelano,1984), y ya con impetuoso vigor, mil más.

Pero a lo que estamos, y que es la apropiación insa-ciable de *super-* por los hispanos, a remolque del inglés como por los franceses o italianos, y que permite eludir otras maneras más refinadas de expresar la elación o exal-tación de cualidades. El analfabetismo más fanático se ha adueñado entre nosotros de ese truco exagerador para calificar y para liberar buena parte de la sobreexcitación nerviosa que, en esta época, aqueja a toda la zoología bí-peda, necesitada de expresarlo todo en su ápice vibrante. Quizá, algún chavalillo/a, en la actual nueva edad oscu-ra, esté diciendo ya, a lo san Fulgencio, que su pareja (¿y parejo?) es *supercalidísima/o.*

Pero, al lado de *super-*, acechan *hiper-* y *mega-*. Pre-gunto a mi nieta Ana —ocho años—, qué prefiere, si de-cir que la película *Pocahontas* es *superbonita* o que es *hi-perbonita.* Resuelve sin dudarlo: *hiperbonita;* y explica el porqué; «Es más chulo». Su hermano —seis años— asien-te: «Chola más». «Querrás decir que mola»: «No: digo que chola». Otro nieto, su primo, ocho años, ratifica: «Sí, chola». He ahí el porvenir.

Comentar

Harald Weinrich, estudioso del tiempo en el verbo, observó que éste no se expresa igual contando cosas que tratando de ellas. Y así, dentro del discurso, hay un «mundo narrado» que se anuncia con señales más o menos sutiles de que el hablante se dispone a relatar. La marca más elemental, pórtico de tantos cuentos infantiles, es el «Érase una vez». A otro nivel menos candoroso, se puede empezar a contar diciendo, por ejemplo, «En un lugar de la Mancha». Tales señales sirven de marco a un cuadro cuyo contenido —un suceso verídico, mentiroso o imaginario— se va a participar.

En el discurso hablado, es frecuente comenzar un relato diciendo: «*Verás:* estaba ayer en la ducha telefoneando y, con el jabón, se me escurrió el móvil...». Hoy, en lugar de este *Verás*, aparece con mucha frecuencia *Te cuento*. Así es como empieza a detallar su aventura la chavala que, una noche mágica de porro, compartió un viaje al cielo con el novio de su hermana, y, ahora, pues claro... O el motero que iba sólo a ochenta cuando salió por detrás del autobús una vieja imbécil... O la colegiala que sufre el acoso del profesor de matemáticas. Y del *Verás*, se ha pasado al *Te cuento* con velocidad de misil; nada impide combinar ambos delantales: *Verás* (o *Pues*

45

verás), te cuento; así se ceba más la atención de quien oye (*¿o escucha?*).

El gancho resulta encantador; un tanto vulgar, es cierto, pero si se quiere contar algo ¿por qué dar rodeos, en este idioma nuestro tan claro y directo que llama pan al pan y, más notable aún, vino al vino? Pues *Te cuento*, y a empezar. En las radios y televisiones se dice así con abundancia. Sin embargo, y eso ya empieza a espeluznar, ahora es muy frecuente abrir el discurso narrativo con *Te comento*.

Se arruinan así los «mundos» de Weinrich, el de contar y el de *comentar*, porque este verbo está ocupando el espacio total del otro, y el de *decir* o *anunciar* o *afirmar* o *revelar* o *comunicar* o *participar* y verbos declarativos así. Y no es sólo en la conversación negligente, sino en la profesional: prensa y noticiarios se hartan de decir que el ministro *comentó* que se hará el AVE a Barcelona. Ciudad donde, por cierto, preguntado el gentil entrenador Van Gaal si se vuelve a Holanda, ha *comentado* que eso es pura especulación (='conjetura'), ya que lleva al Barsa hundido en las raíces mismas del alma. Aunque lo *comentó* menos poético, en el fondo era eso.

El diccionario académico define *comentar* como 'hacer comentarios', y éstos consisten, dice, en los juicios, pareceres o consideraciones acerca de una persona o cosa. Y así, frente al *contar*, en que nos ajustamos, verídicos o no, a un sucedido, el *comentar* procede del ajetreo de la mente: *cuento* que los bombardeos causaron cientos de víctimas en Belgrado, y *comento*, según juzgue el planchado, que los pilotos son santiagos celestes o que, como a Pablos de Segovia, los han hecho a escote.

Y esto ocurre así en todas las lenguas que acogieron el latín *commentari* y voces parientes: en todas ellas

—las románicas y, por préstamo, el inglés—, esa familia mantiene clara su distancia con los sucesores de *compu-tare*. Ahora, no en español, donde ya no se *co*-munican los ajetreos de la *mente*, es decir, lo que se ocurre, sino que se informa sobre lo que ocurre. En la lengua escrita, el fenómeno se documenta menos, y no cuenta con más de veinte años; aparece en contextos dudosos de Vázquez Figueroa o el mexicano Sergio Pitol (ambos de 1982), y claramente en García Hortelano, uno de cuyos personajes aseguraba de una mujer en 1987 que, «según me *ha comentado* el colega que me sustituyó, le dieron garrote no por bruja, sino por haber capado a la hoz al jefe político». En el habla oral, ese uso empezaba ya a empujar, y el recordado escritor ha representado, como solía, el triunfante caos de la calle.

El fenómeno de destrucción idiomática que produce tal neutralización de significados es habitual entre nosotros y, por supuesto, muy inquietante, aunque no estremece a nadie que tenga poder para incoar, al menos, el rescate del magín hispano: distinciones lingüísticas precisas para expresar matices se están esfumando, sumidas en una zafiedad mental pavorosa. Hay zonas del idioma convertidas en un potaje sin tonos, impuesto por personas y personajes con resonante voz pública, cuyos sesos pintan con brocha gorda lo que piensan, si nos permitimos emplear este verbo.

Y como era de esperar, los bombardeos de Serbia han tenido efecto colateral en el vocerío público. En relatos y comentarios bélicos, se ha instaurado cuanta chapucería cabe. Se ha dicho por la radio sin que nadie mueva un músculo que *tropas militares* están a punto de ser desplegadas en Kosovo. Se marca así que las mesnadas de Solana tienen poco que ver con la de académicos de la

Española, los cuales, tras asegurar su voto a Romanones para una vacante, eligieron a otro, lo cual inspiró al conde el famoso dicterio: «¡Joder qué *tropa!*» (muy útil como alivio de defraudados; debiera ser también caución de expectantes).

Poseo pruebas de que un gentío ingente pasa de estos «dardos». Así, hace ocho años, cuando el ataque de Irak a Kuwait, se empezó a llamar *efectivos* a los combatientes. Lancé un puntazo al término, recordando que los efectivos de una fuerza están constituidos por personas, sí, pero también por armas y pertrechos; y que el conjunto no se puede cuantificar con numerales, pues la aritmética prohíbe sumar un sargento con un obús. Sin embargo, ahí tenemos deambulando por los medios a *cuatrocientos efectivos* españoles ayudando en Albania. ¿Cabe imaginar a un capitán, en una guerra antigua, queriendo enfurecer a su tropa militar al grito de «¡Al ataque, valientes efectivos y efectivas!». (Por cierto, ¿quién y cómo será la primera española muerta en combate?).

En cuanto a *catástrofe humanitaria*, varios amigos, pensando que tengo mano en esto, escriben y me escriben exhortándome a pegar gritos; lo hice en 1994 cuando lo de Ruanda. Aquella intensa memez se ha prodigado ahora desde cumbres otánicas y gubernamentales; así como por micros y rotativas. Una tele presentó un triste grupo de kosovares en huida, diciendo que era lamentable su aspecto *humanitario*. La guerra no, pero algunos diarios están recuperando la cordura, y hablan ya de catástrofe *humana*. (Pero incompetentes medios sonoros siguen confundiendo obstinadamente los usos de *escuchar* y *oír*; están haciendo pasar el idioma de la papilla al albañal).

Jacos de Troya

Hace muchos años, setenta tal vez, siendo obispo en Salamanca el padre Cámara —famoso entonces, y allí tiene estatua—, llegó a palacio un parte apremiante de un convento de Alba de Tormes: una monja presentaba estigmas sangrantes en frente, manos y pies: ¿eran testimonio de que Cristo la asociaba a su crucifixión? El prelado, que conocía bien a sus profesas y profesos, y, según se aseguraba, tenía prohibidos los milagros en su diócesis, envió como indagador a don José Artero, canónigo de la Santa Catedral, que fue mi amigo. Es pena que tantas personas pasen dejando sólo una huella que muere con quienes lo conocieron. Don José, oscense de nación, era un cura bajo y recio, canoso cuando trabamos amistad, de rápido andar, con una mirada ya húmeda por la edad pero de rayo; culto, vivaz, músico excelente: una de las pocas personas, en suma, que, en la Salamanca de años antes, podían charlar sin desdoro intelectual con su querido Unamuno. Fue después augur de la condenación eterna de Franco porque, desoyendo la advertencia bíblica, se había hecho excavar su tumba en una roca.

Con tan peliagudo encargo, este recordado amigo tomó el rumbo de Alba. Y, reunida en torno suyo la comunidad, preguntó con inocencia casi infantil: «Veamos, hermanas, ¿quién es la santita?». Una voz sumisa, llena de arrogante humildad, brotó del grupo: «Una servidora».

Le bastó a don José; y he recordado el sucedido cuando oí (¿o *escuché*, admirados locutores?) decir a una movediza dama política que habla y da que hablar: «Porque *los líderes* tenemos la obligación...» (dijo *los líderes*: se le escapó este supuesto masculino). Me acordé de la santita salmantina; pero esta otra se había adelantado a la pregunta antes de ser formulada: «Ecce líder», he aquí, ciudadanos, a una que os está guiando por la vía constitucional. No se le encendió el rostro. Yo sí sentí un rubor sustitutivo al comprobar, una vez más, qué bajos están los mínimos para tener asiento en un lugar llamado precisamente Parlamento. ¿Sabrá la impenitente oradora que son los demás quienes ungen con ese título sublime y sajón? Lo que no parece su caso: con *dirigente* iría pródigamente servida.

En todo el arco parlamentario —así se dice— asaltan los sustos. Éste es de un miembro del mismo Congreso madrileño pero a otra mano. Y tiene gran mando que va a aprovechar, dijo, para proponer algunas medidas *en detrimento de la conflictividad*. Otra palabra de moda, usada a lo que salga. El *detrimento*, es claro, supone 'perjuicio', pero ¿se puede causar perjuicio a algo tan indeseable como es la conflictividad? El avispado líder no se sorprenderá si el médico le receta un antibiótico *en detrimento* de sus bacterias; ni si a un menesteroso le toca la lotería *en detrimento* de su pobreza.

He aquí ahora un concejal, usufructuario de un cargo bajo en la escala de jefes cívicos, hoy muy cotizado. Habla de servir —no se puede mejor— a su querida ciudad, explica cuánto va a sacrificarle, y revela con la mayor sinceridad las gestas que proyecta emprender su grupo en la presente *legislatura*. Si alguien se alarma y se lanza al diccionario, confirmará que *legislatura* es el 'tiempo durante el cual funcionan los cuerpos legislativos'; y si sigue indagando, se enterará sin sorpresa de que *legislativo* se dice del 'derecho o potestad de hacer leyes'. ¿Hacen leyes los ayuntamientos? Qué va: otra vez el infolio saca de dudas inexistentes: *ley*, dice, es, 'en el régimen constitucional, disposición votada por las Cortes y sancionada por el Jefe del Estado'. El enfático edil tiene un prurito hiperbólico similar al de aquel barbero segoviano que, según Quevedo, «se hacía llamar tundidor de mejillas y sastre de barbas». Convierte los concejos en cuerpos legislativos con la misma soltura que la oradora de antes se proclamaba *líder*. Y cabe suponer que una legión de colegas consistoriales lo está acompañando en esta demasía verbal. (Por ejemplo, aquel que soltando brida a su júbilo porque ya tenía acomodo municipal, dijo que los objetivos de su partido se habían *rebosado* ampliamente).

No es preciso estar, claro es, en la política activa para agredir con éxito al sentido común. Hay un ex cargo muy importante, fuera de ella ya, inteligente tertuliano de radio, que, pocos días ha, estremeció a sus oyentes —lo soy, y muy complacido— con la apocalíptica denuncia de que el presidente Aznar «ha dado un giro de 365 grados». ¿Tantos? Pero siempre hay consuelo: imaginemos que el giro hubiera sido bisiesto.

Fue sin duda un lapsus, pero otro hombre público, defendiendo por las ondas la aspereza de las sanciones a los conductores de trago largo, aseguró parecerle escasa porque, a veces, la policía se encuentra con moñas *meritorias* de mayor castigo.

No le fue a la zaga otro eminente, éste de la administración sanitaria: ha anunciado el aumento de las camas *convencionales* en no sé qué hospitales. Esta vez, el diccionario sirve de poco —habrá que darle un toque— porque ese adjetivo se aplica, según dice, a lo establecido en virtud de precedentes o de costumbre, y esto, dicho de una cama, resulta más bien raro: ¿ocurrirá que la mía es *convencional*, porque es igual que la de mis abuelos? Conforme a la letra del diccionario, sólo serían *armas convencionales* la tranca o el puñal trapero, siempre los mismos desde su ingeniosa invención. Pero resulta que lo son todas las armas no atómicas. Por tanto, tal vez ocurra que son convencionales las camas sin uranio. Puedo asegurar que no: aquel administrativo político de la salud se refería a las que no son de UVI ni de UCI, o sea, a las corrientes, que se llaman solamente camas, así, sin el apellido que sigue a esas otras y a algunas más igual de aterradoras. Pero ¡qué voluminosos se ponen el cargo y sus ocupantes con palabras tan prestigiosas como *convencional!* ¡Qué bien sirven su obligación estos líderes, artistas de la lengua!

Políticos modestos o encumbrados, todo el mundo anda metiéndole caballitos de Troya al idioma (a veces, como éstos, no son grandes pero sí muchos, y con dos se forma un frisón). ¿Cómo va a pensar nadie en enseñar de verdad, no con logses, a ciudadanos que, verbigracia, sospechando sufrir mal de ojo, consultan a *evidentes?*; ¿o —entre mil horrores también dichos por la radio compañera de mi desvelo— a esa casi niña que sollozando proclama —y lo repite— su deseo de *albortar* porque se desmandó buscando el trébole la noche de san Juan?

Telefonía sin tildes

Sin duda es muy loable la misión de acarrear palabras vivas, llevarlas de acá para allá, a donde y a quien se quiere, trajín que es propio de la telefonía. Además de loable, resulta pingüe para quienes se aplican a él. Y pues medran con el lenguaje, parece que nada debería resultarles más respetable; sin embargo, no muestran mucho miramiento con el que usan. Ahí tenemos a nuestra vieja compañía, hoy abreviada de nombre, casi en tanga, exhibiéndose en letreros por aquí y toda la América hispana como *Telefonica*, así, monda de tilde. Ni el baturro más hostil al esdrújulo se hubiera prestado a tanta demasía, pero sí los instruidos responsables de imagen que han aprobado el diseño. Lo han tramado quizá publicitarios foráneos a quienes la lengua española importa un pepión: ¿hubieran propuesto a una empresa francesa que se presentara como *Telephonique*, sin sus dos acentos, o que grandes carteles anunciasen el *Theatre Chatelet*? Caso de hacerlo, ¿no habrían quedado para septiembre? Si para colmo eran franceses, Dios sabe qué expiación les hubiera vedado vivir de anunciar.

Pues aquí no: su diseño gustó cuanto cabe a quienes decidían, juzgando irrelevante verter un poco más de escombro sobre este solar compartido que es la lengua española. Si surgió alguna aprensión ante la falta de virgulilla, quedó conjurada por el cayado con que han prolongado la efe para dejarlo caer sobre la *o* siguiente. Pensaron sin duda que los entendidos lo harían valer por tilde, y los otros, aire; o puerta, que es lo moderno.

Pues no: el acento gráfico pertenece a nuestro sistema de escritura igual que las letras; significa también o ayuda a significar: *valido* no equivale a *válido*, y *périto* califica culturalmente de suburbial. Nadie niega a la publicidad la licencia profesional de extrañar: atrae chocando. Pero carece de esa venia la simple rotulación, como aquí es el caso: nuestra lengua no puede ser tenida tan en poco. El diseñador debía haber encajado el acento con claridad en su letrero volando hacia la *o* como una saetilla, y no dejándoselo caer como estalactita o moco. A la empresa le ha complacido la ablación, y es cierto que, así, la palabra queda más yanqui; ¡lástima que la Academia acordara suprimir *ph* en 1803! No se previó la futura y deslumbrante imagen visual de *Telephonica*.

Pero ¿quién tiene autoridad para evitar estas higas al lenguaje? Si no lo hace el Estado (Poncio Pilatos en esto de las lenguas), tampoco puede exigirse a las compañías privadas o semi. Y él mismo y las potestades varias que se reparten su poder ejercen de violadores con toda impunidad. Me gustaría saber de un túnel que tenga en su boca el cartel de *gálibo*, con la tilde donde debe. Sin salir de la autovía, resulta raro el nombre de una población que, necesitándolo, aparece con ese trazo: ¿por qué razón se anuncia *Ávila* y a doce metros *Avila* y luego *Ávila* y poco después *Avila*? Y si se entra en las ciudades, verbigracia en Madrid, por la calle de Alcalá, donde las floristas, empieza uno a toparse con un caos acentual sobre puertas oficiales que han dado entrada y salida a innumerables potestades, todas desganadas en materia ortográfica.

Esta telefonía sin esa tilde (tiene otras) ha recibido considerable apoyo en su lucha contra el lenguaje común al irrumpir en el mercado otra empresa del gremio, y avisarlo en los medios de comunicación. La radio emite un anuncio que abrirá época, estoy seguro, en la historia de la publicidad, superando a aquel *spot* del matrimonio que se reía de cuando sólo podía beber agua: ahora pimpla gaseosa. Ese anuncio auguraba la era de la publicidad emética, que ha triunfado al fin con la invención de esta firma. Quiere azuzar aún más el desenfreno del telefonino (¿por qué no esta solución italiana en vez de *móvil?*), y, para ello, una voz sombría comunica por la radio: «Se derriten los helados en las manos, las parejas ya no se besan, las paellas se quedan intactas sin que nadie se digne a probarlas...»: tal catástrofe ocurre porque todo el mundo está llamando a sus parejas, parientes y conocidos preguntándoles «hola, qué haces». ¿Verdad que ha de atraer muchos abonados esa visión de la gente con las manos chorreando praliné derretido, a los enamorados desamarrándose obligados por otra pasión mayor; y lo que aún causa más pasmo: la gente haciendo ascos a las paellas, con su rico pollo y sus gambas: todos lanzados como leones al loro portátil para inquirir qué está haciendo el contactado? Dando pompa a la cutrez, está ese *dignarse a probarlas*, con su *a* excedente, que pone rotundo marchamo analfabeto a esta presentación de la empresa.

En el haber del artefacto hay que contar, eso sí, su ventajoso empleo profesional en radio y televisión, que tanto bien hace a nuestro idioma. Gracias a él, en agosto han podido ser oídos cientos de comunicadores de corte y provincia narrando fichajes y partidos de fútbol a punta de telefonino. Así han dado un meneo al idioma que lo ha dejado más joven aunque algo más bobo. Se ha contado, por ejemplo —gracias, Túa—, cómo se ha pagado por un as una cifra *salomónica:* ¿no es acertado ese adjetivo, siendo tan famosas las minas del gran rey de Israel? A otro corresponsal se le felicita desde Madrid por su *prolija* información, que ha durado minuto y medio, sobre un jugador enojado con su míster. No cabe mayor innovación que la de hacer elogioso el adjetivo *prolijo.* A la noche siguiente, el enfurruñado ya no lo está, lo cual, afirma el locutor de turno, nos *congratula.* Decir, como antes se hacía, que *nos congratulamos (de ello),* queda, no sé, como muy pleistoceno. Me repito: «Las paces de esos futboleros *me congratulan*», y siento que me he quitado veinte años de encima.

A lo que no he podido llegar aún es al *alante* universal de los contadores de partidos de fútbol y carreras: «Sólo hay un jugador *alante*», «Va por *alante* un grupeto (¡así dicen!) de tres unidades» (o sea, corredores). Armándome de valor, probé este verano a usar el adverbio en el ascensor de un hotel, al advertir a un conocido magistrado que estaba impidiendo con su cuerpo el cierre de las puertas: «Entre usté, señor juez, pase usté más alante», le dije. Y me lanzó una mirada inolvidable.

Pero el saldo es favorable al telefonino y a sus usuarios deportivos, y las empresas que lo propagan merecen hurras. El bártulo es muy práctico; multiplica hasta el infinito el poder audiovisual para alegrarle las pajarillas a la lengua española. Y como esto es bastante serio, no conviene echar los acentillos de unos a la mar, ni las paellas de otros a la basura.

Escritura electrónica

El estudio adultera a muchos tontos su memez ingénita. Abundan los bobos cuyo desarrollo ha sido entorpecido por los libros, pero sin debilitarlo mucho. Algunos, incluso, tienen fama de doctos, aunque tarde o temprano, y a veces con frecuencia, asoman la patita. Eso no va a ocurrir en un futuro próximo, pues se está produciendo una regresión del lenguaje, la cual, lejos de enmascarar la necedad ingénita, va a potenciarla. Muy pronto tendremos tontos inalterados, puros, como de manantial. Y los habrá también reciclados, restituidos a su condición en cuanto se adapten a la posmodernidad cuyo ariete es Internet.

Figurarán entre ellos muchos que conversan con conocidos o desconocidos por ordenador, valiéndose de un lenguaje pretendidamente universal, escueto y económico, aunque, por ahora, muy simple. Así, si un internauta pregunta a otro por los datos de un compacto que ha oído —es genial, oye— con cuplés anglos cantados por un tal Rod y no los recuerda (este ignorante se refiere, casi seguro, a Rod Stewart y a su celebérrimo *Unplugged... and Seated)*, se despedirá tecleando: <TIA>, que quiere decir 'gracias por adelantado' (o sea las iniciales de *Thanks in Advance)*. Habrá que aprender esto si se quiere gozar de las cálidas amistades cibernéticas con una mínima prestancia. Supongamos que el hablante avisa a su conectado o conectada que interrumpe hasta pronto la comunicación: *<BFN>* le dirá, esto es 'adiós por ahora' *(Bye For Now)*. Y si es que el conectado o conectada lo ha obsequiado con un chiste desternillante, hará que su módem electrifique el siguiente mensaje: *<ROTFL>*, literalmente 'rodando por el suelo muerto de risa' *(Rolling'on the Floor Laughing)*. Pero si no llega a tanto y se queda en la carcajada, pulsará *<LOL>* *(Laughing Out Loud)*, la cual, caso de que sea larga, podrá reiterarse como *<LOL>*, *<LOL>*, *<LOL>*, esto es, traducido libremente, '¡ja, ja, ja!'. Por medio de la red entran a veces en contacto amistoso y, hasta íntimo, dos personas que ignoran sus sexos respectivos. La mujer confesará que lo es tecleando :>, y el varón declarará así su varonía :-. Resulta sucinto pero sugiere en exceso.

No creamos, sin embargo, que los interlocutores están obligados a comunicarse fríamente, bien al contrario: manifiestan muy bien su estado de ánimo. Así *(:(* expresan que están supertristes; y si, al contrario, revientan de alegría, especificarán que *:-)*. También puede hacerse con los iconos respectivos, ☹ y ☺; hay varios de parecido jaez. Este lenguaje que se está pariendo y sólo muestra el cogote ya anuncia su amenaza contra la escritura normal. De momento, no puede sustituirla del todo, porque le faltan expresiones. Es inservible aún, por ejemplo, para muchos guionistas de cine y televisión, pues carece de esos insultos que dan viveza y naturalidad a los diálogos, con los cuales los personajes se clasifican recíprocamente como bucos, rameras, hijos de éstas o gays en aumentativo. Y, por ahora, no los surte de interjecciones usadas por todo el mundo, incluidos niños, niñas y adolescentes, como *joder* y *coño*, soportes naturales del coloquio. Pero, cuando el lenguaje de Internet se provea de estos signos y de tres o cuatro expresiones más, desplazará con ventaja al esperanto, y valdrá para escribir en cualquier lengua.

Por lo pronto, son ya muchos los hispanohablantes que, inventando o importando, trabajan para convertir la nuestra en lengua espectral. Para ello, comprimen muchos elementos, preparándolos para su ulterior reducción a comas, puntos, paréntesis y demás signos del ordenador. Por ejemplo, el verbo *consumir*, que, como intransitivo, sólo significaba 'gastar' («Este coche consume mucho») y, con más unción, 'tomar el sacerdote la comunión en la misa', hoy nombra ahorrativamente la acción de drogarse.

Estas operaciones reductoras exigen muchas veces el paso previo de arrebatar la transitividad a verbos que la poseen: es el caso anterior. O privarlo de cualquier acompañamiento, según ocurre con *salirse* (de la carretera, de madre, del partido, etc.), que le ha sido amputado para que él solito elogie de modo supremo. Si Fulano o Fulana están que *se salen*, es que no los alcanza un galgo en elegancia, en belleza, en energía, en rumbo... Durante el último *tour* galo, sus píndaros radiofónicos repitieron hasta enronquecer que el ciclista Armstrong *se salía*. Y no de la carretera: es que le sobraban fuerzas para extenuar a los demás. Bien mirado, esto exalta con más educación que *intratable*, el adjetivo anglosajón al uso, tan poco apropiado para el valeroso velocipedista. Además, *salirse* puede decirse a propósito de todo y de todos, no sólo de los deportistas; se ha conseguido una ventajosa mengua verbal.

Será preciso reducir cuanto se pueda si se quiere meter al idioma en cintura telefónica. ¿Habrá vocablo más mental que *entender?* «No entiendo esta palabra», «Se le entiende bien lo que dice», «Entiende mucho de música», «En el caso entiende el juez X», y varios usos más; en todos acompaña al verbo la explicación de qué entiende con la cabeza el que entiende. Pero hace algunos años, ese complemento necesario fue cercenado y, exento, entró en otra jurisdicción: hoy significa 'ser homosexual'. La televisión de madrugada anuncia «chicos que entienden», es decir, expertos en apagar incendios por tal demarcación. Los profesores que pregunten a sus alumnos si entienden pueden ser perseguibles por acoso.

Curiosamente, *entender* también significa, según define el Diccionario, 'penetrar': «¡Cuánto *penetra*, para lo joven que es!», se dice de alguien encareciendo su agudeza. Desde hace mucho —pero con extraña ausencia del infolio—, el vocablo ha cargado, y bien estrechamente, con otro sentido sólo gramaticalmente intransitivo: el de 'entrar armado el varón, de grado o por fuerza, en placenteras cavernas'. Obsérvense las vueltas que he dado —es fácil hallar muchas más— para decir aquello que significa *penetrar* (y que casi dice la palabra misma).

¿Hará falta decir que casi todas estas síntesis proceden de laboratorios cosméticos galos? Hace cuatro siglos, se inventó allí también el verbo *sodomiser*, exportado pronto a toda Europa; España ha tardado en adoptar el invento, postergado por la expresión castiza, más larga, basta e indecorosa. Ahora sólo falta incorporar tal verbo al léxico oficial. El francés —hoy ayudada por el inglés— es lengua pionera en esto de fabricar píldoras lingüísticas, ingeniosas y útiles muchas veces, pero sobre todo, maravillosamente aptas para su electrificación.

Espíritu de geometría

¿Podríamos hablar sin la geometría? Se nos cuela por todas las costuras del idioma, sin casi darnos cuenta. Inevitablemente, los políticos y los medios de comunicación, aliados en la locuela (que parece diminutivo de *loca*, pero es sólo pariente de *locución*). Apenas a los chicos vascos o equivalentes les da por travesear algo, salen con eso de que «va en aumento la *espiral de la violencia*». Nunca es una recta pujante o un zigzag que, a sacudidas, trepa como la fiebre de un colérico: es una espiral, sin excepción imaginable. Se trata de una metáfora perfectamente válida, idiomáticamente bella, esta de la violencia vista como un tornado que se empina vertiginoso hacia arriba girando alrededor de un punto. Lástima que no sea invención nuestra: hace mucho que la conoce el inglés. Y lo malo que tiene es la asiduidad en los medios, proclives a las frases hechas, tanto de la violencia como de su dichosa espiral; cuesta reconocer talento en quienes se mueven por el papel o las ondas agarrados a tales lianas. Bastaría decir que *aumenta* o *crece la violencia*, pero ese aumento, dicho así, parece sin alma, y, sobre todo, es ajeno al dialecto que muchos comunicadores emplean para dirigirse al público.

Pascal afirmaba de los geómetras —él lo era, y genial— que «son rudos e insoportables», y escaseaban los que, además, poseían «esprit de finesse». Gran razón la de tan enérgicos adjetivos si se aplican a los repetidores de la metáfora espiralina, cuyo forjador la creó con un golpe de ingenio sin sospechar que estaba fabricando una muleta para que cientos de informadores renqueen con ella por la prosa.

La aportación de tropos geométricos al caudal de las lenguas ha sido desde antiguo muy considerable: la nuestra, en el lenguaje del amor, cuenta, por ejemplo, con el *triángulo;* los narradores eróticos de principios de este siglo —en donde, pese al estruendo del milenio, vamos a permanecer aún todo el año 2000— llamaban *horizontales* a las damas de cama fácil. Hay gentes que todo lo ven *bajo un prisma;* Galdós los llamaba *prismáticos.* Por los años cincuenta, señoritos y señoritas mutuamente condignos fumaban *cilindrines* mientras castigaban la *pepsi* con *gin,* y se dedicaban a *tumbar la aguja* de sus lentos bólidos por la carretera. El mundo social ha entrado a saco en el sacro recinto de Euclides; contamos con *círculos* de labradores, de bellas letras, aristocráticos, de fumadores: la tira. Existen las altas *esferas,* los *sectores* afectados, los *polígonos* de desarrollo y las *curvas* de crecimiento. En las demandas salariales, se piden a lo yanqui aumentos *lineales* (para todos); por lo contrario, el también yanqui *puntual* es lo que afecta sólo a algo concreto; se habla de la *pirámide* de edades; se ven las cosas desde un determinado *ángulo;* el Congreso se deja de asuntos *centrales* —la formación humanística, por ejemplo— y se sale por la *tangente.* Un juez —salvo excepciones— es *recto,* y su *trayectoria,* por tanto, *rectilínea;* pero hay ocasiones en que se pasa de la *raya* (¡qué *cruz!*). Pero no por eso deja la Tierra de girar alrededor de su *eje* y del *Pentágono,* cuyo *radio* de acción ya está llegando a Marte.

Frente a la espiral, la recta; mientras aquélla se vuelve y revuelve sin saber hasta dónde, la *recta* lleva como
una sombra el adjetivo *final*. Cuando falta ya poco para
que algo acabe (el curso, un partido de fútbol, un proceso...), dicen de ese algo que ha entrado *en su recta* final.
Se trata de otra estampación lingüística de percalina. Con
esa plantilla, desaparecen cien variaciones posibles para
decir lo mismo, pero la jerga profesional político-me-
diática, esa santa alianza, impone el bordoncillo hasta
producir bascas. ¿Y si el final termina en curva? Lo normal es que sean rectilíneos los metros últimos que han
de recorrer compitiendo los semovientes de sangre o de
hidrocarburo. Pero, por ejemplo, el remate de un curso
escolar suele estar lleno de sobresalto, y alumnos hay que
lo recorren por sinusoides: ni locos dirán que el curso está en *su recta final*, cuando muchos han de seguir corriendo
durante el verano. Otro topicazo geométrico de los que
manan a cada momento por altavoces caseros y columnas
de papel.

Nuestros indefectibles amigos los cronistas del deporte han lanzado no hace mucho otro en verdad útil:
cuando, por ejemplo, un chavea de quince años muestra habilidad sobresaliente con el *esférico* en sus pies, se
asegura de él que tiene una inmensa *proyección*. No es que
su sombra se alargue por el campo, sino que lleva un ca-
rrerón: podrá integrarse pronto en esos conjuntos de mi-
llonarios que, miércoles tras sábados y domingos, cambian el pantalón largo por el corto, y encienden pasiones
por los estadios. Sus bardos —son muchos— prefieren
proyección a 'futuro' o 'porvenir' porque, claro es, tal nombre está más cerca del inglés *projection*.

Y, dentro de ese gremio y de ese espíritu de rudeza
—según el diagnóstico de Pascal—, figuran entre los geó-

metras de esparto unos cuantos preciosos ridículos que, cuando un jugador cae, *pierde la verticalidad;* a no ser que, después de haber sido empujado y trompicado, se quede en pie: entonces no ha *perdido la verticalidad.* Ni Paravicino en plena hoguera barroca hubiera segregado joya semejante.

Pero hay otra grey, la que envía publicidad por fax —¿para cuándo una ley que, como en otras partes, la prohíba?—, que no conviene perder de vista por lo innovadora. Me faxea una empresa dedicada a adaptar «las nuevas herramientas de marketing al *segmento* de jóvenes». Hace tiempo que no presenciaba tantas cornadas juntas a la lengua española. Los adolescentes son para tal empresa *teens*, como en Texas; suman nueve millones y medio, según su cómputo, y constituyen «el *target* más potente en cuanto a números [sic] y poder de compra». Son ellos quienes definen lo que es *cool* y lo que es *out;* de ahí la necesidad de un *marketing* directo, *one-to-one* y de *cross promotions* con tan apetitosos compradores, puesto que, hablando a lo geométrico, constituyen un *segmento* muy gordo de la población.

Día tras día se informa de cómo, por costas canarias o andaluzas, han sido aprehendidos unos cuantos desventurados a quienes el hambre ha lanzado al mar. Pero sin necesidad de patera, van penetrando en el lenguaje público mensajes que corroen nuestro idioma, es decir, nuestro ser. Nadie reacciona; Francia hizo un intento de poner frontera al suyo; y algo ha conseguido. Sería un espectáculo interesante ver a nuestros diputados discutiendo un proyecto de ley similar, aunque fuera más tímido.

Oratoria electoral

En verdad parece justo y necesario proclamar que la democracia es la forma menos mala de gobernarse los pueblos. Y aún sería más proclamable si, para que marche, no fuera preciso atravesar cada poco una campaña electoral, esa dantesca «selva selvaggia e aspra e forte / che nel pensier rinnova la paura».

Acabamos de salir de una espantosa. Olvidando que la retórica y su compañera la dialéctica nacieron en Grecia como fundamento de la democracia, el discurso político se ha hecho mayormente a coz y flato entre apretones de letrina, con la coartada infame de hablar «coloquialmente». Lo único bueno de ese recorrido —tantas manos estrechadas como si fueran manojos de rábanos, tanto beso sin carne, tanto claqué de muñeca sobre hombros desconocidos— es su desenlace, esa noche de escrutinio durante la cual sobreviene un derrame de felicidad en todos los partidos (o casi). El colofón compensa a la ciudadanía del hosco camino, con el civismo de candidatos y secretarios generales zurrados que se reprimen fingiendo un enorme alborozo. Gran lección cívica tras haber azuzado.

Hasta ese final, sin embargo, la selva verbal es áspera. El hablar bondadoso y bronquial de una candidata, por ejemplo, que afirma no ser *mediática*, aunque la acusan de serlo por hacerse notar tanto en transistores y pantallas. Era de temer: se fue indulgente con semejante adjetivo, la Academia le expidió pasaporte, y ya anda por ahí campando dementemente: se puede ser *mediático*.

El vocablo empezó a viajar por el mundo hispano hacia 1993, diez años después de nacer en Francia, con su significado de origen: 'concerniente a los medios o transmitido por ellos'. Y su éxito fue vasto y basto: plataforma, revolución, imperio, universo..., todo podía ser mediático; pero no las personas. Había estrellas de las ondas: ¿quién no añora a la vibrante doña Pilar Rahola, que hace pocos años se le aparecía a uno apenas abría el transistor? Y en efecto, un periódico de Barcelona, en 1994, la llamaba *figura mediática*. Allí mismo un presentador de televisión era denominado *líder mediático*.

Pero ellos no eran directamente *mediáticos;* nuestra candidata ha dado un paso más cuyo triunfo auguro: también se es *mediático* por trabajar en los medios: «Vosotros los *mediáticos*...» ronqueaba afónica la susodicha dirigiéndose a sus entrevistadores. No hay duda de que este nombre gana en prestancia con el sinónimo esdrújulo: *mediático* o *mediática* impone más que *periodista*.

Hay una palabra que, en la actual campaña, ha chocado mucho: *desagregación*. Felipe González la ha repetido y es, sin duda, un claro galicismo: se le ha reprochado, con probable razón, que no empleara *desintegración (disgregación* o, más precisa aún y medieval, *destrucción*). Y es que, en efecto, el ex presidente destila formación gala. Lo de *desagregar* (y *desagregación*) —a la palabra sola aludo— tiene salvoconducto: está en el diccionario desde 1899 con el significado de 'separar, apartar una cosa de otra', que es, justo, eso que se intenta hacer dentro de España. Ocurre, sin embargo, que, siendo ya tan añejo el vocablo, no ha dejado huella escrita que yo alcance antes de 1980; Francisco Fernández Ordóñez, en su libro *La España necesaria*, habló de *desagregación* social y de partidos; Fernando Arrabal la usaba en 1982 y, desde por entonces, salpica textos de aquí y de América, incluidos, hace varios años, los del propio líder socialista; pero no llamaba la atención.

Otra consagración electoral: los pares *ciudadanos y ciudadanas, compañeros y compañeras, extremeños y extremeñas* repicaron en esas semanas con monotonía de cigarra canicular. Un ánimo reivindicativo mueve a muchos y, sobre todo, a muchas a arrebatar al masculino gramatical la posibilidad, común a tantas lenguas, de que, en los seres sexuados, funcione despreocupado del sexo, y designe conjunta o indiferentemente al varón y a la mujer, al macho y a la hembra. ¿Preguntarán a alguien si tiene *hijos* o preferirán *hijo/s o/e hija/s?* Pero esto requeriría discusiones —las ha promovido ya— donde es imprudente entrar. Y está bien, incluso muy bien, que se empiece un mitin con invocaciones tan terminantes como las señaladas: confieren dignidad, solemnidad, respeto al auditorio. No sólo mítines: existen otras ocasiones que lo requieren o aconsejan. Pero una observancia continua y cartuja de tales copulaciones causa ralentización del discurso y tedio mecánico: el femenino se espera como un *tac* tras el *tic* del masculino, o al revés, y cansa; persona que inspira tanto respeto como es doña Rosa Aguilar parecía hacer caricatura del sistema con su escrupulosa minuciosidad en el apareo. Puede jurarse que Miguel Hernández no excluía a las vareadoras cuando invocaba a los *aceituneros altivos* de Jaén. ¿Con rigor de arenga o de en-

67

trevista debería haber escrito *aceituneros altivos y aceitu-neras altivas*, o al revés como exige el orden ortográfico? Es difícil concebir nada más concejil e iliterario.

Por último, el hablar de algunos políticos —no irre-levantes— ha confirmado en esas jornadas tribunicias la vieja figura retórica llamada anáfora como marca per-sonal. Consiste, se sabe bien, en repetir algo al principio de enunciados sucesivos: «*No venimos a pediros el voto* só-lo para conseguir escaños; *no venimos a pediros el voto* sólo para gobernar; *no venimos a pediros el voto* para amparar con él nuestros intereses personales. *Venimos a pediros el voto* para servir a la sociedad, *venimos a pediros el voto pa-ra* hacer más clara y transparente la política española, *para* limpiarla de podredumbre». Práctica de oratoria pobre, subterfugio para vestir peponas desangeladas.

¿Eficaz? Sin duda. El auditorio, mecido por el val-seo, se dispone al voto igual que el toro bien trasteado al estoque. Hay otro recurso igualmente fértil para los su-sodichos mareantes; es el contrario, la catáfora, con la cual se infla de repeticiones el final de las cláusulas: «Na-die podrá poner en peligro *nuestra libertad*, ni amenazar *nuestra libertad*, y aún menos arrebatarnos *nuestra liber-tad*». Ahora el vaivén es terminal, corajudo, eyaculante, y algo como una centella recorre las vértebras correli-gionarias provocando delirio: ¿quién osaría birlarnos la libertad? Son recursos de larga tradición retórica, pero hoy quedan como muy antiguos, y añaden trazos inde-seables al encefalograma.

Calcinar

Me cuento entre los peores televidentes del país, pero no tanto que llegue al ayuno y, menos aún, a la abstinencia de pantalla. Zapeo, veo y, normalmente, vuelvo al zapeo. Sin embargo, el lenguaje que sale del aparato me retiene bastante. Lo que se ve es fuerte, esos concursos talentosos donde se remunera con diez mil duros por saber qué río baña Miranda de Ebro; o esas impresionantes controversias sobre «famosos» que se entreacuestan por hastío y lucro; o con padres llorando de gozo cuando su criaturita se contonea y desgañita, la pobre, imitando a alguna cantante españolísima; o, aún más «humano» —así dicen—, las cuitas de quienes exhiben su intimidad. Están, como perfección última, las series indígenas, habladas pavorosamente por abundantes actores.

Pues bien, aun siendo casi todo perfectamente harapiento, lo es aún más el lenguaje revolucionario que emplean las TV (superadas tal vez por las radios). Así, un noticiario que, al menos ése, debería pasar por filtros más rigurosos, ha contado que los desventurados supervivientes de una patera marroquí, tras saltar a tierra, «se *mimetizaron* entre la vegetación próxima», esto es, adquirieron el aspecto de la fronda circundante; pero no: sólo se quería significar que tomaron el olivo. Pues digámoslo así con mayor cultura y modernidad: el ladrón me ha arrancado el reloj y se ha *mimetizado;* al igual que se *mimetiza* ese banderillero cuya tirante y oronda taleguilla ha irritado al toro.

No pasa día sin que oficiales y privadas peguen quince o veinte arreones parecidos al idioma. Los dan en casi todos los programas, y son más de sentir, por su naturaleza, en los noticiarios que, a la hora de comer o cenar, se ensañan mostrando cadáveres escarnecidos, manchas de sangre o sesos, llagas con moscas y vísceras frescas. Momentos hay, sin embargo, en que se rinde culto al chisme brillante y a los fastos de la vida social; ¿cómo olvidar a este apuesto actor yanqui con quien tantas mujeres aspirarían a un vis a vis, a pesar de que hoy festeja su sesenta *onomástica?* Así pues, a pesar del soberbio aspecto que exhibe, sus huesos ya han sido baqueteados por muchos Saint Charles. Y hoy, que es Saint Charles, soplará en la tarta la vela sexagésima. Obviamente, el redactor de esa interesante noticia confunde los cumpleaños con los santos.

Turbación semejante obnubiló el habla del locutor que traducía a palabras los trotes que veíamos en el reciente partido Madrid-Barcelona: «Es el último derbi del milenio», decía encareciendo la trascendencia de aquel vivo vaivén del balón. «¡El último del milenio!», volvía a repetir insistentemente, por si alguien se había adormecido. ¿Era verdad? ¿Qué catástrofe impedirá que vuelvan a chocar esos equipos el año 2000 en que efectivamente acaba el milenio? Si esto no fuera así, el actual constaría de 999 años: serían mil años mal contados. ¡Cuántos píndaros de éstos precisarían a su lado un maese Pedro que les enfriara el énfasis! Con lo cual, no cabe ignorarlo, irían al paro.

Por eso, se defienden hablando la jerga profesional que, en el fútbol, empezó utilizando *chut* o *chutazo, tiro, disparo*, *cañonazo* y otros sinónimos así de sencillos: con el *chut* nos metía un gol el inglés, pero las otras metáforas volvían a introducirnos en tierra propia: simples tropos, diría un lacónico. Sin embargo, en la busca del clímax impetuoso a que se entregan los locutores de audiovisuales, el *zapatazo* se les está comiendo el terreno; y aquí no hay metáfora sino invasión. Ya hay mucha fantasía en llamar *zapato* a ese calzado de los futbolistas, que, en portugués, tiene el nombre cautivador de *chuteiras* y que, en español, tuvo y aún conserva el genérico nombre de *botas* (*borceguíes* dicen algunos, más precisos que breves). Pero a nadie se le ocurrió llamar *botazo* al *chut*; el zapato, sin embargo, goza del privilegio aumentativo. En efecto, el *zapatazo* es el golpe dado con el zapato (inevitable Jruschov), y, a veces, el puntapié: 'Echar, tratar, llamar a una puerta *a zapatazos*'. Nada parece oponerse, pues, a que esta delicadeza entre en el recinto sacro del balompedismo, ya que el *chut* se da con la misma punta. Pero hay algo que choca sin duda a los bien amigados con su idioma. Y es que el zapatazo se da con enfado o ira para maltratar a una persona o cosa, lo cual no ocurre en este juego; porque el futbolista no quiere reventar el balón ni dejarlo en cueros muertos. Por el contrario, pone su anhelo en convertir la bola en vivísimo obús: no ha deseado descalabrarla, sino persuadirla razonablemente, amorosamente a veces, de que vaya a la red. Aquí el zapatazo lo recibe el idioma.

A diario, pueden oírse docenas de errores, como el de la *onomástica*, o el que cometió un hermoso busto cuando, esta semana, en un programa «cultural», llamó *Sadé* al obsceno marqués: son fallos personales que quedan en eso, y, por tanto, de escaso efecto sobre la lengua común; todos nos equivocamos (la frondosidad de errores entre quienes hablan en público es lo preocupante). Pero hay ignorancias y haraganerías peligrosas, especialmente las que se contagian a otros, y además achican el idioma.

He aquí un caso notable de común empequeñecimiento. *Calcinar* es una vieja palabra que la Academia definía en 1729 como 'reducir a polvo los metales u otros materiales sólidos por medio del fuego'. La definición sufrió varios cambios poco sustanciales hasta la última, que reza: 'Reducir a cal viva los minerales calcáreos...', y 'Someter al calor los minerales de cualquier clase para que de ellos se desprendan las sustancias volátiles'. En la lengua española sólo se *calcinaban*, pues, los minerales. Sin embargo, la TV muestra a diario piltrafas humanas renegridas, diciendo que están calcinadas. Y es que el francés, aunque cuenta con *charbonner*, 'reducir a carbón', emplea *calciner* para significar 'reducir a carbón o a cenizas'. A pesar de que la cal es blanca, los cadáveres achicharrados y las ciudades bien chamuscadas están, según nuestros medios, *calcinados*. Otra palabra, *carbonizar*, carbonizada por los medios[1].

Igual que *cómputo*, voz tan apta para noches electorales como la reciente. Los votos se cuentan, y esa acción consiste en *computar*. No oí todo cuanto se dijo esa noche pero sí casi: ni una sola vez sonaron en las largas y engañosas informaciones esas dos palabras tan evidentes: «Se están *computando* los últimos votos» o «El *cómputo* acabará pronto»: siempre el tozudo *recontar*, que aunque sea legítimo (pues es sinónimo de *contar*) resulta tan pelmazo como la espera. Y ya está apareciendo el feo *conteo* de gran parte de la prensa hispanoamericana.

---

[1] Nuestro último Diccionario (2001) acoge ya la acepción invasora de *calcinar*: 'Abrasar por completo, especialmente por el fuego'; su empuje era imparable.

2000

Chuzos sin punta

Hemos padecido —no sé si aún— la pedregada cósmica. En mi tierra zaragozana, llamamos *pedregada* a lo que el castellano nombra *granizada*, palabra, sin embargo, que no vale para esto de ahora; ni siquiera, aunque más enérgico, el nombre *pedrisco*, ya que, según el diccionario, es 'el granizo grueso que cae de las nubes en abundancia y con gran violencia'. Pero define *granizo* como agua congelada que cae en forma de granos, y lo que está cayendo más tiene que ver con los misiles que con los granos; según símil inmortal referido a otra cosa, o, mejor, persona, creo que por Pérez Creus, llamar grano a uno de esos macizos frígidos sería como llamar colina al Himalaya o arroyo al Amazonas. Y menos, si como afirma el infolio, tales supuestos granos se desprenden de las nubes, porque es imposible que éstas críen en su cuerpo incorpóreo tan gigantescos tusos (como llamamos también por tierras del Ebro a las piedras adultas lanzadas con intención aviesa).

Es muy peregrino que tales amenazas de descalabro se encierren tan estrictamente entre las aduanas hispanas (aunque parece que ya descargan sobre Italia; no es raro: están como nosotros). Indudablemente es plaga de castigo. Ni desechos aeronáuticos, ni esquirlas de cometa, ni orines angélicos: se nos está escarmentando. ¿Qué ocurre entre nosotros que atrae la ira de los cielos? Pueden aventurarse hipótesis varias: nacionalismos anexados al estruendo preelectoral; baja calidad de nuestro fútbol, neerlandizado en extremo, por no decir neandertalizado; series televisivas domésticas... ¡tantas culpas! Y sin embargo, aun a riesgo de equivocarme, aventuraré otra suposición (evito por humildad llamarla hipótesis). Y es que, cada vez que por radio o televisión se emplea, por ejemplo, *escuchar* en vez de *oír*, el dios del idioma —ésta es prueba de su existencia—, chuzo que te cascas. Lo expongo con la incrédula pretensión de que se intente de una vez no confundir estos dos verbos, tan útiles, seguro de que, apenas se diferencien, cesará esta lapidación aterida. (Desconfío, sin embargo: un sujeto que se declaraba «nalfabeto», dijo anoche —cualquier noche— varias veces aquello de «Fina, ¿me escuchas?»; la neutralización de *oír /escuchar* forma ya parte del «nalfabetismo» nacional).

No creo tan irritantes para el agresivo vengador de lo alto algunas modernidades de la pomada idiomática. Con frecuencia he oído elogiar a tal o cual mujer hermosa diciendo que tiene un *importante físico*. Es un caso más del progreso, ya lo advertí años atrás, que hace en nuestro idioma ese adjetivo; y no sé por qué, de manera tonta, había asociado últimamente el *físico importante* a beldades femeninas del plató. Ahora se aplica al mozancón que, en cualquier deporte, opone corpulencia al avance de sus rivales. Y así como, referido a una bella, lo de *físico importante* me parecía sutil y gracioso y verdadero, cuando se dice de estos fornidos, lo encuentro un poco ridículo. Claro que, a lo mejor, desde el otro sexo se ven las cosas al revés. No creo, sin embargo, que esto atraiga piedras del olimpo unisex del lenguaje.

Considero, sin embargo, altamente provocativo para la deidad el salto de garrocha que da gran parte de la prensa sobre las normas de la acentuación u otras: se las pasa de un brinco ceñido. Un diario meridional, que me envía un lector y que elijo entre tantos, escribe en titulares: *miercoles, Africa, exámen, jóven, ésto, un sólo voto*, además de *elije*. (Y se adorna con una revolera: «El presidente Chaves va a coger una gripe de tanto bajarse los pantalones». Ahí queda eso). Aún hay adultos que ya no creen en los Reyes Magos, pero sí en que las mayúsculas no se acentúan. El arcángel guardián de las letras ya habrá dado parte: no extrañe, pues, si cae ante nuestras narices (más atrás, resultaría imposible quejarse) un cacho de iceberg celeste.

También puede provocar la ira empírea decir de algo averiado o parado —el ordenador, pongamos, de un pupitre en el aeropuerto—, que está *disfuncional*, dando un barniz castellano al inglés *dysfunctional*. Y aún se aplica tal adjetivo en ese idioma para calificar cualquier avería del cuerpo; es casi seguro que algunos médicos nuestros ya fascinan a sus pacientes con el diagnóstico de que tiene los riñones *disfuncionales*; o cualquier otra cosa, rime o no rime con ellos. Esto debe de gustar poco en el aposento de los muertos bienhablados.

Y aún menos, el desparpajo del locutor deportivo que, ante el punterazo fallido de un jugador a la portería contraria, exclama: «¡Qué lástima. Ha tenido el gol *en sus manos!*». O el del redactor de un noticiario radiado, en el cual se da cuenta de un hatajo de desalmados chinos que se dedicaba a la trata de *blancas* con mujeres traídas de su país. O el alucinante consejo que, por ese medio, se da a las mujeres encintas para que no fumen mientras *ingestan*.

Y aún sospecho más del pisto que se está guisando con las determinaciones del tiempo. Ya casi ni advierto cuando un/a locutor/a corta el curso de su programa asegurando, para retener la audiencia, que «volvemos *en un minuto*». Quiere significar, mintiendo, que regresarán de la publicidad *dentro* de un minuto; pero no lo dicen mal adrede, sino de buena fe, con el candor que aporta al trabajo el qué más da.

Otra pujante tontada, impelida por altas instancias políticas, es decir, verbigracia, «*a día de hoy*, no hay ninguna novedad». ¿Por qué *a día de hoy* y no *hasta hoy?* Sin duda, así emparejan nuestra lengua con el prestigioso *aujourd'hui*, pero es sandez gemela de la anterior. Pueden decirse también *en el día de hoy*, por *hoy*, y *en el día de ayer*, por *ayer*: las bobaditas nunca son únicas. Y siguiendo con las precisiones de tiempo, otro lector me jura por escrito haber oído en una retransmisión de fútbol que «el partido está en sus *primeros estertores*». ¿Por qué han de ser siempre los últimos?, se habrá preguntado este reflexivo demóstenes.

Y ahora, jovencísimo, casi fetal, está el uso desaforado de *momentáneamente*. Es palabra larga y, por ello, atractiva. Y así, se dice por ejemplo que habiendo cesado tal jerarca, se hará cargo *momentáneamente* del puesto tal subjerarca. Con ello, los de hablar ultraligero quieren decir que éste va a sustituirlo *de momento*. Pero lo que están diciendo con *momentáneamente*, en paleoespañol al menos, es que el sustituto va a ocupar el sillón sólo un ratito, unos instantes nada más. Esto puede acarrearnos teides de hielo. Ah, y Teruel existe: ánimo, paisanos.

En repulsa

Terminó febrero del modo que suele todo tiempo: medio trágico, medio carnavalero. Esta vez, con dos crímenes abyectos y, a renglón seguido, el principio de la campaña electoral. Un tanto ensordecido, es justo concederlo, por el preámbulo de dolor e indignación que los oradores pusieron a sus mítines de media noche; pero vino enseguida la anunciada desfloración de una campaña que ya lleva meses trotando calles y reventando. Ya es legal la gresca que soportamos desde hace tiempo: quienes se deslomaban de hecho pueden descostillarse de derecho durante seis días más, hasta el sábado, el *shabat* democrático, que añade a las 39 prohibiciones bíblicas, la de seguir inflamando a compañeros y a compañeras y a camarados y a camaradas; la de continuar adoctrinando a ciudadanos y ciudadanas irresolutos/as; y la de obstinarse en exhumar votos de abstinentes.

Los asesinatos referidos han congregado en todo el país a miles de iracundos reprimidos. Y los medios han dado justa cuenta de ello, pero diciendo sin reparar en gastos que las manifestaciones acontecían, acontecieron o iban a acontecer *en repulsa de* los crímenes de Vitoria. Infortunadamente, llevamos muchos muertos asegurando que eso se hace *en repulsa de* (o *por*). Es uno de los más vistosos granillos que le han florecido al acné juvenil del idioma. Con él, se ha hecho un violento achique de aquello que, hasta hace poco, decíamos los hispanos: *en señal* o *testimonio de repulsa* o *como expresión* o *exteriorización de repulsa* y cosas así, en que *de repulsa* complementaba a un nombre introducido por *en*; sin él, la frase carecía de significación; en este caso, el complemento puntualiza que las manifestaciones *eran un signo* de congoja y corajina juntas. Pero a alguien se le ocurrió la ágil pirueta de saltar por encima de aquel nombre necesario, y ahí tenemos, reiterado hasta el empalago, eso de las manifestaciones *en repulsa*.

Es brote reciente; el archivo académico lo registra en España a partir de 1997; pudo nacer antes, pero, en cualquier caso, es aún bebé. Y, como suele ocurrir, fue invención (y es uso) de gente a quien se retiró la lactancia idiomática antes de tiempo.

Algunas de estas construcciones viven, ciertamente, en el idioma ya desde antiguo, como complementos adjuntados al verbo y no a un nombre: «Le han regalado una *stock option* por su gracia y salero», donde podría haberse esperado que le regalaron tan pingüe cosa *en* (o *como*) *reconocimiento de* su galanura. Caben otras posibilidades (*por* gratitud *a, como* retribución *a, como* premio *de* o *a, como* muestra de entusiasmo *por* su sandunga), y cien más que a cualquiera se le ocurren.

Pero la ablación de estos nombres no sucede siempre: es imposible decir que «están doblando las campanas *en duelo*» (por *en señal de duelo)*, o que «le mostró el puño cerrado con un dedo discrepante *en desprecio*» (cuando se quiere significar que le hizo tan mal gesto en *prueba* de desprecio), o que «le dio un par de zurras al árbitro *en cariño*», según reciente efusión de un futbolista.

Uno de tales casos imposibles era, hasta fecha reciente, *en repulsa*, probablemente calcado en España sobre *en rechazo de* o *en repudio de*, que, venidos de América, habitan entre nosotros hace unos diez años: *«en rechazo del terrorismo»*, en vez de *«como expresión* de rechazo», por ejemplo.

¿Merece censura? Si contamos con posibilidades antiguas, como *en agradecimiento + preposición*, en todo el territorio del idioma, ¿no resulta inexplicable *en repulsa por* o *de*? Lo sorprendente es la velocidad con que se propagan las novedades, cómo saltan entre continentes y cerebros. Sólo el deseo de colgarse joyuelas modernas explica que muy pocos se pregunten qué es lo que decían ellos mismos hasta hace poco. Prefieren la arruga bella y el *prêt-à-porter*.

La manipulación de las preposiciones constituye hoy un deporte muy generalizado, con consecuencias sintácticas notables. ¿A quién no le ha ocurrido llamar a alguien importante por teléfono, y que le salga al paso su secretaria con un *«Está reunido»*, en vez de *en una reunión?* El dicho y el hecho juntos causan hinchamiento de narices, por la certidumbre de que es infame subterfugio para no contestar a nadie. La colerina es sólo comparable a la promovida por la ausencia de aquel que buscas en su oficina y «está desayunando»; mira uno el reloj, son las doce, y reniega de que existan gentes tan bohemias.

Aunque irrite, debe comprenderse, sin embargo, que algún obstáculo deben interponer algunas personas cuando están trabajando, para protegerse del asalto telefónico que corta a veces un discernimiento, saca de las casillas e inunda el cuerpo de adrenalina. Contestar que el solicitado no está, lo desprestigiaría porque debía estar. En cambio, el *está reunido* enriquece al demandado con un plus de importancia: los que son cualquiera no se reúnen.

Lo oímos tanto ya, que no choca. Y, sin embargo, es un sinsentido idiomático de buen tamaño, porque *reunir* significa 'juntar' o 'congregar', lo cual exige que lo reunido sea múltiple, en modo alguno único: se está *reunido con alguien*. «Se reunieron Aznar y Almunia»; siendo dos, no hubo prevaricación gramatical. Pero si en ese momento los acecha el móvil de algún intruso, es seguro que en sus secretarías respectivas le contestarán: «No puede ponerse porque *está reunido*». Aunque ambos líderes hayan prohibido a sus guardianes telefónicos lo de *está reunido:* no puede esperarse menos de quienes, tras la victoria, se proponen mejorar el lenguaje del país, por si en ello le fuera algo a la democracia; que sí le va.

Progresarán de ese modo bastantes medios de comunicación; dejarán de decir, por ejemplo, que alguien «*contrajo* el hongo aspergillus en un hospital», como si los hongos fueran la gripe; que fracasó «la jornada *huelgaria* de ayer» en vez de *huelguística;* que «los alumnos tienen que *consumar* algunas actividades obligatorias», dicho sin referencia alguna a la clase de educación sexual... Nuestra BBC nacional, narrando el entierro de dos policías y un bombero sórdidamente asesinados en Valencia, aseguró hace pocos días que «iniciaba el séquito el bombero, seguido de los dos guardias»; confundir *séquito* con *cortejo*, y afirmar que un muerto iniciaba una marcha, causa pavor. Además, lo *iniciaba*, cuando en realidad lo *abría*; y aun esto será falso: ¿nadie iba delante de los féretros?

De cine

Confieso mi adicción sincera a los seriales de polis y gángs-
ters americanos, con sus sobrios capitanes, normalmente
tan negros como los / las jueces, sus agraciadas ayudantes
del fiscal del distrito, y aquellos agentes, abnegados guardianes de la ley, deseosos del retiro para irse a pescar. Pero sin negar ningún mérito a la intriga, ni muchísimo
menos, lo que me seduce de tales películas es el doblaje.
Puesto que el ambiente no es cartujo, en ellos se habla
mucho de dinero, de la *pasta* quiero decir, cuya unidad de
cómputo es el *pavo*. Me parece recordar —agradecería
ayuda, porque tengo ya contaminada la parla— que, en
mi juventud, la jerga marginal llamaba *pavo* al duro; y
no hay otra palabra para designar el dólar en esos entretenimientos. El meollo de tales filmecillos —y sus parientes mayores— suelen consistir en muertos, carreras
pedestres o montadas por autopistas, callejones y tejados,
a propósito de la *mercancía* (= droga), y que si pavos arriba, que si pavos abajo. Apenas picotean, sin embargo, la
escritura: los veo sólo por alguna comedia o novela española de veinte años acá, con yanquis y dólares para co-
lorear el estilo con barras y estrellas. El *pavo* viene a ser
como la *pela* hispana, aunque mayor: equivale más bien
a una peluca; pero, en punto a vulgaridad, así se andan.

La televisión, por rebufo del cine, ha creado ese lenguaje que vamos aprendiendo entre tanda y tanda de anuncios y partidos. Y más ahora que han pasado las elecciones. Aparte la *mercancía* y los *pavos*, entra en el núcleo duro de ese dialecto llamar *grande* al billete de mil dólares; pero no de cualquier manera: ha de ser diciendo «tantos o cuantos *de los grandes*». Y ello, a pesar de que, me parece, el papel moneda norteamericano es todo de parecido tamaño. Sólo por un acomplejado concepto de nuestras pelas no llamamos *grandes* a las modestas pero adorables estampitas azules, a las queda poca vida ya.

También la «police» tiene sus modismos que nuestras series imitan muy bien. Por ejemplo, llamar *señor* al que manda, aunque sea de grado mínimo: «¿Da su permiso, señor?», dice el agente pidiéndoselo a un sargento. Y no digamos si es a un comisario. Pero tengo la impresión de que no cuaja por aquí este préstamo de las Fuerzas Armadas y Cuerpos de Seguridad de los Estados Unidos de América: de adoptarlo, seríamos más apreciados en el marco de la OTAN. También sería imitable —y ya se imita en la tele indígena— el alusivo modo que tienen los custodios del orden para referirse a sus superiores, a ese incorpóreo espectro que ordena traslados, regresos al uniforme, ceses y demás: lo hacen llamándolos, sin ánimo de coña, *los de arriba*, y aceptando topográficamente su situación subordinada. Pero sería más conforme con el genio de nuestra lengua, que, al doblar al castellano tal referencia, se precisara más diciendo algo así como «los cabrones de arriba».

Otra bellísima costumbre de quienes luchan contra el crimen en aquel país —y, en esto, nada se diferencian de otros grupos sociales, incluidos los criminales—, es la de solemnizar cualquier evento feliz reuniéndose de esmoquin y esposas de traje largo en actos sociales *ad hoc*. Intercambian sonrisas y saludos, y como tal vez han compartido en el pasado cosas sumamente memorables, un «picnic» por ejemplo, lo evocan llamando *los buenos tiempos* a aquel entonces. Es expresión exclusiva del mundo de la imagen: estoy seguro de que ningún compañero de mili en Canfranc —años cuarenta de chusco y hielo— me ha dicho nunca al volvernos a encontrar: «¿Recuerdas cómo lo pasábamos de mal en *los buenos tiempos?*».

Pues bien, satisfechos los recuerdos, llega inevitable el momento del discurso: alguien tiene que decir dos palabras al común. Y ¿cómo empieza?; ¿con qué vocativo requiere la atención de sus oyentes? Invariablemente, llamándolos: *Damas y caballeros.* Hago memoria y tampoco me acuerdo de haber oído, fuera de las pantallas, otra cosa que *Señores y señoras* (que muchos, fieles al orden ortográfico, truecan en *Señoras y señores).* Percibo, sin embargo, un no sé qué de mayor distinción o, por decirlo sencillamente, una «touche» de elegancia, en lo de *damas y caballeros*, que falta a nuestra salutación ritual. Se diría que aún no se ha aprendido del cine, según es nuestra rudeza. Sin embargo, hay signos de civilidad en la Legión, donde, a las valerosas mujeres ahora enroladas se las llama *damas* legionarias, haciendo juego con los *caballeros* del Tercio.

Viendo cine —sólo veo el comprimido en casa—, me cercioro de cuán educativo es y de cuánta urbanidad puede enseñarnos. Ya hace años apologicé lo estimulante que ha de resultar para un abaleado a punto de espicharla, que alguien se acerque a él susurrándole: «¿Te encuentras bien?» (mejor: «¿Te encuentras bien, cariño?)», frente a nuestro seco y depresivo «¿Te encuentras mal?», «¿Te duele mucho?», y cosas igual de imprudentes. Pues aún hay algo mejor, alejado de nuestro laconismo, que puede oírse hasta en las comisarías policiales (no digamos en los grandes almacenes y oficinas públicas) cuando uno se aproxima con intención pacífica. Compárese el austero «¿Qué desea?» de dependientes, oficinistas, ordenanzas y demás gente hispana, con el gentil «¿Puedo hacer algo por usted?» de filmes y filmetes. ¿No contribuye esta diferencia a situarnos en un escalón zoológico más bajo? Sin duda, algo tienen contra nosotros los laboratorios de doblaje.

En la misma línea de primor entra lo de llamar *villanos* a los malos y, con elogiable sobriedad, *bastardos* a quienes aquí aludimos desplegando el concepto en tres palabras. Porque, en efecto, es muy grande la aportación que al idioma puede hacerse desde el arte cinematográfico. Deteniendo un momento el zapeo, veo, por ejemplo, un trozo de un serial nuestro donde un periodista dice que tiene que escribir un *artículo* sobre un suceso. Así llaman a sus escritos informativos los periodistas norteamericanos cuando se les traduce a mocosuena; en una redacción española nunca llamarán *artículo* a una *noticia*: de igual modo que un recluta, menos un teniente, jamás se dirigirá a su comandante tratándolo de *señor*.

Pero no todos estos adelantos proceden de imitadores y dobladores: la periferia también contribuye a mejorarnos. Mi amigo y paisano el gran director José Luis Borau, con garantía casi de fe notarial, me cuenta cómo una reportera de televisión explicó que ella misma había *locutado* un documental sobre la reina de Inglaterra. ¿Pudo ofrecer una radiografía más castellana y cautivadora de su mente?

Babel

No es grande mi acuerdo con fray Martín Sarmiento, el fiel defensor de Feijoo, cuando explicó cómo el castigo de Babel consistió en que si alguien, pongamos el capataz de la célebre Torre, ordenaba a un peón que puliese un pedrusco, el pobre esclavo se quitaba una sandalia; y si éste pedía el botijo al vecino de andamio, recibía una soga de esparto. Tal teoría expone bien el porqué del derrumbe de aquella famosa máquina: el cielo pudo haberla destruido de un hálito, pero prefirió que mediara el lenguaje. No obstante, si fray Martín tuviera razón, habría habido tantas lenguas como babilonios, con la consiguiente y sobrecogedora catástrofe *humanitaria*. Pero la damnación no fue tan dura: dividió a los hablantes en grupos de idéntica lengua, y los enfrentó, rompiéndose así el monolingüismo que el Paraíso había legado al mundo, ya fuera el sánscrito ese idioma único, como han pensado notables eruditos chiflados, ya fuese el euskera según opiniones no menos autorizadas. Pero la desgracia quedó ampliamente compensada por una ventura: el germen de los nacionalismos.

Es en nuestros días cuando fray Martín tendría razón, porque se ve amanecer la posibilidad de que cada humano posea su propio idioma, apartándose del de la tribu: cada vez es mayor el número de quienes emplean las palabras según su ocurrencia, lo cual anuncia que al español va a sucederle otro idioma: el guirigay.

Por ese mal camino ha entrado ya de lleno el adjetivo *culpable*. Para todo habitante de esta lengua nuestra, culpable es la persona que tiene culpa; y *culpa* es, a su vez, la falta o delito que se ha cometido o se imputa. En nuestros días *culpable* puede ser cualquier hombre o mujer que cometan lo dicho, pero también los autores de hechos laudables y benéficos; así, según sentencia del entrenador del Real Madrid, el portero Casillas «ha sido uno de los *culpables* de que estemos en los cuartos». De final de Copa, se entiende, que es estación de paso hacia la gloria. Resulta muy probable el origen litúrgico de semejante traslación: un himno religioso pone música a un trozo de una homilía de san Agustín donde se califica de *felix* la *culpa* de Adán, porque gracias a ella pudo acontecer la Redención. Así, pues, aunque infinitamente menor, es feliz la culpa de ese joven arquero. El cual ha merecido ser calificado, por su calidad, de muy *valeroso*, en dictamen emitido por uno de los infinitos píndaros que invaden noche y día el espacio radioeléctrico.

Pero no es menos babélico el lenguaje taurino, que, él mismo, fue antaño milagro de gracia torera, y ahora, con creciente frecuencia, se despacha con bajonazos al costillar del idioma. Sin ir más lejos, cuando se ha dicho hace poco que, en la Maestranza, el toro *insufló* una cornada grave a un matador. ¡Qué sorpresa la de ese deslenguado si alguien le informa de que *insuflar* es, como define inapelablemente el Diccionario, 'introducir a soplos un fluido en un órgano o en una cavidad'! El infolio no habla para nada de los cuernos, ni se sabe que el toro los hinque a soplidos.

El cambio de gobierno ha hecho soñar a algunos con que aún es posible reanimar el macilento sistema docente (¿recuerdas, querido Alfredo Pérez Rubalcaba, cuando te anuncié que la reforma nos mandaba a la cuneta, al menos en lo atingente a lo poco que sé?). El caso es que plumas ilusionadas con tal bienaventuranza proponen remedios propios del seis de enero. Una de esas recetas reconstituyentes pide que, en unos planes nuevos de estudio, se obligue «a los alumnos a *consumar* algunas actividades obligatorias». Ah, qué bien si al infeliz arbitrista le hubieran obligado a copiar veinte veces el diccionario desde la primera palabra hasta la última, que es *zuzón*, útil vocablo, que, como nadie ignora, designa la benéfica hierba emoliente.

He aquí que a un joven escritor le ha tocado ya su primer premio literario, y es entrevistado por televisión. La entrevistadora —no es machismo: era una mujer— le hace la pregunta de rigor, pero así: «Y ¿a cuánto ascienden los *emolumentos* del premio?». No puede haber prueba más contundente de nuestro viaje a Babel: *emolumento* o 'retribución que se percibe por un trabajo acordada con quien paga' es tanto como dar soga por botijo, según hizo con toda probabilidad aquel alarife del frustrado torreón. Lo malo de la cosa es que el barbipungente galardonado entró al trapo y le informó de a cuántas pesetas/euros ascendía el premio, dinero al que respetó el nombre de *emolumentos*.

Otra piltrafa que hace temer un desastre como el bíblico es el empleo que se está haciendo de la locución prepositiva *en aras de*. La cual significa 'en honor o beneficio de algo o alguien'. No lo entendía así el innovador analista del mundo del fútbol que, explorando la clasificación de los clubes, recomendaba al Atlético que se echase *alante* (sic) en los tres partidos que *restaban* (sic) *en aras de* no despeñarse a la segunda división. Es uso que responde al machaqueo con que hoy se tunde el sistema de nuestras viejas preposiciones. En este caso, se da un empellón a *para* y se mete *en aras de*; igualmente que *por la vía de* suple a *mediante*, *a través de* jubila a *por* («entraron *a través* de una ventana»), *a* se sustituye por *sobre* en el lenguaje del fútbol («el árbitro pita falta *sobre* Sergi», lo cual sugiere la insidiosa sospecha acerca de qué estaría haciendo ese señor encima de Sergi); este *sobre* aquí excedente se escamotea a favor de *en torno a* («habrá conversaciones *en torno a* la pesca»); y multitud de casos más, a los que debe sumarse el andrajo *en aras de* casi siempre desalojando a *para*.

Pero la cima de este despropósito babilónico tal vez se encuentre en el periódico de una lejana ciudad que, al tratar de las minas antipersonales, asegura que «este *armamento* militar ha *sesgado* y *sesga* la vida de miles de civiles». Dar el nombre de *armamento* (es decir, conjunto de armas) a las minas antipersonales es tan corrosivo para el idioma como llamar *efectivos* (esto es, conjunto de soldados o policías con su material belicoso) sólo a esas personas. Por cierto, alguien me ha regañado por dardear tal uso, dado que el diccionario ofrece otra acepción de *efectivos*: 'Número de hombres [y mujeres, debe añadirse] que tiene una unidad militar, en contraposición con la plantilla que le corresponde'. Pero, cuando se dice «la tropa desplazada a Kosovo está formada por mil quinientos *efectivos*», lo que se quiere decir es otra cosa.

En la información figura también el empleo un tanto raro de *sesgar*, que, antes, era esa cosa que hacían los *sesgadores* antiguos con una hoz. Lo dicho: Babel.

Zurrando el cuero

Parece claro que el fútbol es remedo actual de la guerra, su metadona. En muchos países, ambos fenómenos conviven aún, pero se debe a que no tienen fútbol o éste es débil. Basta abrir los ojos para ver la evidente función sustitutoria del llamado deporte rey en el trozo de planeta donde vale la pena vivir, entre otras cosas, porque se piensa cada vez más que no merece la pena matarse de uniforme.

La lírica actual esplende en los recintos enormes donde una prometedora juventud manifiesta a chillidos su emoción liberada; más silenciosa, pero igual, la poesía nos desentierra a unos cuantos el alma. Por su parte, la dramática (teatro, cine), que satisface el deseo ampliamente humano de observar directamente qué hacen otros, recibió no hace mucho el empujón concluyente de un programa televisivo (al Gran Hermano aludo), el cual no sólo permite ver y oír a varios congéneres, sino casi olerlos.

Pero había que dar gusto también a otro instinto primario y primitivo, el de contemplar las proezas de nuestros adalides bélicos, noble curiosidad que satisfizo en un principio la épica literaria, ayudada por torneos, justas y atractivas naumaquias. El fútbol es, en este final de milenio, ámbito donde se dirimen todas las diferencias, con la ventaja sobre la guerra clásica de que ésta hiere y mata menos, y de que no sólo combaten las paladines sino también, si quieren, las retaguardias, las gradas, las aficiones. Se pelea por una camiseta como, antes, por una bandera o por un reino. Y al igual que antaño se invocaba a un adalid para impetrar la victoria —a Santiago, sin ir más lejos—, en un estadio, rodeado por miles de compatriotas que miraban con angustia cómo el honor de España rodaba por los pies de eslavos, había un cartel-plegaria que rezaba: «Camacho, sálvanos». Más aún: alguien que transmitía el partido por radio, al clavar los nuestros el gol decisivo, se disparó a pregonar que Dios existe y que creía en él. ¿Lanzó algún colega de la otra parte un grito inverso?

Nuestros hinchas, sin embargo, no llegaron a sacudirse con nadie, a diferencia, verbigracia, de los ingleses, que, en las calles holandesas y belgas, manifestaron otra vez el *impetus ille sacer* que los empujó al continente en 1944. Pero sin armas: sólo a hostia limpia, gracias al fútbol.

La conmoción de la Eurocopa tenía que afectar al lenguaje. Una relación mínima no cabría aquí; vayan sólo muestras. Por lo pronto, parece haberse consagrado una novedad que detecté hace pocas semanas: en un partido de promoción, dijo el narrador que el Osasuna era «un equipo muy *físico*». Quería significar, sin duda, que los jugadores navarros parecían más fuertes que los de Huelva; creí que era simple lapsus. Sin embargo, lo he oído ya hasta dos veces a contadores distintos del euroacontecimiento; ambos querían caracterizar a futbolistas corpulentos. Uno de éstos, a pesar de ser tan *físico*, era muy hábil. No es de desdeñar este asomo de revolución, que abre la puerta a insospechados diálogos. «¡Qué físico está su niño!», dirá una madre a otra. Y ésta podrá contestar: «No crea; ha tenido paperas y aún está bastante impalpable».

Metidos en esa harina, ya me sorprendió poco oír en la narración del combate entre España y Noruega que este equipo contaba con jugadores «de corte *muscular*». Hallazgo cardinal, que intensifica la magnitud de *físico*; y nunca en mejor ocasión que aquella en que los hiperbóreos nos humillaron. Ya podrían: había sólo enfrente de ellos unos muchachos sensitivos. De distinta manera habrían reaccionado éstos si hubieran tenido ante sí a los turcos, para reiterarles Lepanto.

Ya no recuerdo si estas cosas las dijo el glosador que, en TVE, acompaña de ordinario al mero relator de jugadas. Si no éstas, profirió otras tan extraordinarias o más, que contribuyen al palpable esfuerzo de la primera emisora pública en favor de nuestra lengua. Así, un comentarista suyo está afianzando el sustantivo *dinámica* —también científico— como okupa que desaloja 'ritmo' o 'desarrollo'. Lo emite a una media de veinte veces por partido; y asegura como quien lava que ha cambiado la *dinámica* del juego, que tal jugador no se incorpora a la *dinámica* del equipo, y cosas así. Lo único malo de tal obstinación es que fatiga ese nombre aunque se oiga tumbado en *chaise-longue*.

Los mediadores de estos medios —que han acogido en los deportes tantos expertos malhablados— están aportando al uso común encantadoras novedades; así, este a que aludimos, cuando, tratando a los seleccionados como funcionarios públicos, advierte que «desde hace muchos minutos, España no *tramita* el balón», o que «los pases de Guardiola no están *tramitando* una definición». Es metáfora que, convenientemente expandida, permitirá finezas aún mayores que la de llamar constipación al estreñimiento. Tampoco es manca la afirmación de que «Alfonso está dando buenas *sensaciones* para sus compañeros». Aunque confieso no entenderla, ¿qué son estas *sensaciones*: ánimos, barruntos, esperanzas? Otro hallazgo que luce en su parla se produce cuando califica de *interesante* un regate, un remate o una sustitución.

Otros narradores son menos originales y no poseen su fantástica capacidad para el circunloquio del tipo: «El juego del equipo español no es muy favorecedor a sus intereses»; lo normal es que tales profesionales sean normalitos al enunciar, por ejemplo, que tal o cual futbolista *marca la diferencia*, galicismo expulsor de que «la establece»; o que es *desequilibrante*, dádiva también de nuestros vecinos. En ambos casos, se afirma que el muchacho da sopas con borceguí a cuantos comparten balón con él, y que, en cualquier momento, una de sus habilidades es mandar a hacer gárgaras los platillos del partido. Y zurran fuerte al idioma aquellas voces de radio que, durante el campeonato, han identificado *vigente* con *actual*, recordando que el equipo galo —nuestro puñal— es el *vigente* campeón del mundo. Como un billete de banco o una ley.

El socio

Entró el verano atosigando, no por calor, que tardó en embestir, sino por ciertos horrores —accidentes, crímenes—, y, en tono mucho menos grave, por impaciencias a cargo de los vivos: elecciones para sendos tronos en el PSOE, en el Real y en el Barsa, sumandos estos que pueden juntarse sin sacrilegio, pues el fútbol no ocupa menor espacio que la política en la preocupación colectiva. Tales acontecimientos han promovido puntazos al lenguaje, muchos de ellos reiterados con pelmacería, y otros de reciente aborto.

El asesinato del desventurado concejal malagueño dio lugar, según una radio, a que se instalara la capilla ardiente en *conmemoración* suya. Por desgracia es ya casi cotidiano hablar de capillas ardientes, con la notable particularidad de que muchos comunicadores ignoran qué son, y no abren el Diccionario donde leerían que la tal capilla es el lugar donde 'se vela un cadáver o se le tributan honras'. No hace mucho oí, según conté, que se hablaba de «*celebrar* una capilla ardiente conjunta»; ahora, de *conmemorar* con ella a un difunto. Además, en el cortejo fúnebre de éste, «la esposa y los hijos iban *cargados de emotividad*», para decir, simplemente, que iban muy emocionados. Aumentan los comunicadores

95

ágiles y desenfadados para quienes el idioma es un simple *pokémon*.

Y así, pueden escribir que seis enfermos «han *contraído* el hongo aspergillus» en tal hospital como si éste fuera la enfermedad y no su agente. Entre los parlantes que no distinguen entre arre y so debe contarse con pleno derecho a quien, dando cuenta de la reciente huelga de autobuses, hablaba de «la jornada *huelgaria* de ayer», usando un vocablo tan bello como la jornada misma. No menor fuerza inventiva fue la de quien redactó esta noticia, que lo hace digno del toisón: «La liberalización total de los mercados eléctrico y *gasista* se adelantará al año 2002». Sólo extraña la asimetría: debió hablar también de mercado *electricista*.

Junto a estos modernos novatores, están los diestros en anteponer el formante *auto-* a otra albarda ya puesta, porque consideran escaso el *se* reflexivo: «Un periodista colombiano *se autoexilia*», escribía en titulares hace poco un diario madrileño; y, aún hace menos, otro, en el mismo medio, enalbardaba el verbo con idéntico garbo: «Bono se *autopostula* candidato a la Secretaría General». Recuérdese que, en los comienzos de la transición, se habló mucho del *autosuicidio* de las Cortes franquistas, y que, en aquellos momentos, las reuniones conspiratorias o disidentes del régimen *se autoconvocaban*: ningún grupo habría reconocido a otro autoridad para convocar, y lo hacía la reunión misma por arte de birlibirloque. Con estos precedentes, los *auto-* antedichos revelan poca audacia; cabe esperar pasos más decididos; que alguien se atreva a decir, por ejemplo, «no me *autoconfío*», por «no confío en mí», o «*se ha autoenamorado* de la jefa» queriendo significar que no la arrulla por interés, sino que el amor le ha brotado de la entretela.

Una incitación amiga me exhorta a celebrar la dilatación adquirida en neoespañol por la noción de *complicidad*; en efecto, *cómplice* era antes el 'participante o asociado en crimen o culpa imputable a dos o más personas'. Hoy se puede ser cómplice de acciones loables: «El secuestrado pudo escapar gracias a la *complicidad* de un guardián». Otro gran amigo, universitario, que curiosea por Internet, me advierte muy extrañado que, en la página *web* del Consejo de Universidades, se escribe y se reitera *primer área*. Pero, estando en la pomada, ¿puede maravillarse de cualquier cosa demente que ocurra en la Universidad?

Esto es grave, dado que la información, tan precisa para el desarrollo social, muchas veces está en manos de personas con genes idiomáticos deficientes. ¿Qué cabe entender cuando se lee que los Reyes, en su viaje reciente a Bolivia, «depositaron flores en el monumento a los héroes del movimiento *libertario*»? Cuesta imaginar que rindieran homenaje a personas que, Diccionario en mano, postulaban 'la supresión de todo gobierno y de toda ley'; sería, parece evidente, que dedicaron ese gesto de respeto a Bolívar, Sucre y otros *libertadores* que, en 1825, desgajaron el país de la Corona española.

Volviendo al principio —una vez elegida la ruta, el propio escrito aparta de ella muchas veces—, retorno a mi primer propósito, que era delatar un caso de machismo inicuo en el habla electoral de los clubes de fútbol. Insistentemente, exclusivamente, los aspirantes a pilotarlos, tanto madridistas como culés —especialmente éstos— se han dirigido al *socio*: ha de hacerse lo que quiera el *socio*, el club es *del socio*, ha de mimarse *al socio*, *el socio* hablará en las urnas, viva *el socio*. Y de la *socia* ¿qué? Ni pío: nadie ha hablado de ella. Puede ser que eso de *la socia* suene mal. Designa, sí, a la partícipe en una sociedad, pero también, aquí y en buena parte de América, a la mujer de uno, tal vez con sacramento interpuesto, esto es, a la parienta, y con frecuencia a la coima. En vista de lo cual, los aspirantes a mangonear los clubes, tan agrestes de ordinario, han optado por el epiceno abrumador, continuo y único *el socio*, que abarca mujeres y hombres, como *gustar el conejo* involucra al macho y a la hembra. Cabía la solución *socios y socias:* pues se ha evitado. Y aún mejor *los socios*, que es la solución de andar holgado y bien por el idioma.

Los candidatos políticos han evitado ese singular, y han preferido el emparejamiento copulativo. Todos ellos han dirigido a los votantes una carta que empezaba diferenciando los sexos, bien con arcaico paréntesis: *Estimado(a) Delegado(a);* bien con barra sugestivamente oblicua: *Querido/a compañero/a;* e, incluso, con arroba cibernética, *Estimad@ compañer@*, cosa que, dicho con todo afecto, querido José Bono, no debe hacerse. Carta adelante, tres candidatos proseguían la diferenciación: *delegados y delegadas*, pero con desfallecimientos. Así Rosa Díez: *todos los afiliados, candidatos, unos y otros;* Bono, *ciudadanos y ciudadanas* pero, luego, *juntos podemos conseguirlo* (¿sólo ellos?). Tal flaqueza se advierte también en Matilde Fernández: *compañeros y compañeras*, pero *entre nosotros mismos.* Sólo José Luis Rodríguez Zapatero se limitó al vocativo inicial consuetudinario; después mantuvo el idioma en sus propios términos, sin concesiones: *ciudadanos españoles* (imaginemos *ciudadanos y ciudadanas españoles y españolas:* ¡qué espanto!), *preocupaciones de todos, una tarea colectiva en que cada uno...* ¿Habrá tenido esto que ver con su victoria? Como indicio, no es baladí.

En sede parlamentaria

Un mes para recordar, este último agosto de crímenes, bombas, amenazas, quemas, en compañía de funerales consuetudinarios, llantos, mansas manifestaciones coléricas y esperanzas políticas demolidas. Además, se ha vivido más caro. Es cierto que una gran parte del país se ha mantenido aletargada y ha hecho su agosto enmascarando que su ira está cerca del punto de ebullición. Como fondo del espectáculo, los entretenimientos audiovisuales han sufrido, con pocas excepciones, la degradación estival que implica abajar aún más sus abundantes programas sórdidos, su cota moral —que, en muchos programas, ha penetrado en el subsuelo de lo repugnante— y, como es natural, roer los zancajos del idioma, pues más arriba no llegan.

Todo igual; muy inquietante resultó un titular redactado así hace pocas semanas en un gran periódico gallego: «Aznar *prioriza* la respuesta del Estado de derecho sobre una reunión de partidos». Temiendo que fuera un modo local de hablar, consulté con un asentador de Rianxo y con un cosechero de imponderable albariño, presente un canónigo de Mondoñedo: ni aun ayudados por dos botellas de degustación conseguimos averiguar qué demonios quería *priorizar* Aznar; ¿habría asegurado que las responsabilidades con el Estado están por encima de la opinión de los partidos? Juzgo excesiva la alegría con que acogimos esta exégesis del prebendado.

Los medios siguen considerando galano decir «el acto se celebrará *a partir de* las doce de la mañana», en vez de «se celebrará a las doce». Tan vulgar dilatación del hablar es comprensible —no del todo— si se anuncian cosas de desarrollo temporal prolongado, que resulta hacedero presenciar o a las que cabe asistir en cualquier momento siguiente a esa hora. Una verbena, por ejemplo, una jornada electoral, una tertulia televisiva de multiopinantes...; o puntualizando el momento en que se abre un museo o un *parque temático* (¡cómo se nos entromete en el idioma esta sandez!). Pero ese *a partir de* parece muy tonto si el principio de ese desarrollo no es indiferente: una función de ópera, la boda propia, la clase; o una corrida de toros o un partido de fútbol, en que lo mejor sucede casi siempre al salir los alguacilillos o al primer pitido del árbitro, es decir, antes de que sobrevenga la realidad, esa escoria de la ilusión.

Los incendios estremecedores que ha traído el verano han dado ocasión para atornillar fuertemente en el idioma el verbo *calcinar*, a expensas de *carbonizar*, que casi nadie —sobra tal vez el casi— emplea ya en los medios. ¿Por qué ese arrinconamiento de este último verbo? Sin duda, actúan causas diversas, pero de modo fundamental, la jerga que se han fijado los comunicadores como seña de identidad profesional, al igual que ocurre con quienes se dedican a otras cosas, magistrados a afiladores, fisio y psico terapeutas, pinchadiscos, ecologistas, cazadores de mayor o menor... En el caso de los que tienen por oficio noticiar o comentar, esa jerga consagra o sacrifica caprichosamente vocablos o expresiones, y son muchos quienes se sienten obligados a emplearla por fidelidad al oficio que justamente aman, aunque, pensándolo bien, concluirían que obliga a más su lealtad con lectores y oyentes. No la observan cuando imponen como exclusivos *iniciar, finalizar, escuchar* por *oír, riesgo de lluvia* por «posibilidad de lluvia o de tormentas», en plena sequía o en el apogeo de los incendios forestales; punto *y* final, volvemos *en* unos minutos, *alante* incluso en informativos no deportivos... Son cientos de picotazos al idioma contra los que hemos alertado desde hace tiempo con tinta y decibelios quienes creemos que ese lenguaje refleja un mayor ablandamiento del mucílago cerebral colectivo.

La expresión política ha dado un paso estival de gigante. Algo que, en el gran archivo electrónico de la Academia, se registra desde 1990, ha estallado con formidable estruendo en la locuela de los políticos; consiste ese dengue idiomático en decir, verbigracia: «Es asunto que debe discutirse *en sede parlamentaria*». Pura y simplemente, unos y otros han amordazado el viejo y noble sustantivo *Parlamento*, que es donde aquel asunto debiera discutirse. Le han quitado voz e imagen a tal vocablo, para sustituirlo por la memez citada. Es también una ocurrencia jergal; su empleo clasifica como miembro de aquel grupo selecto cuyas manos menean la sartén pública.

Es cierta y creciente la tendencia a la omisión del artículo, normal en casos como estar *en casa, en cama, en 'boxes', en clase, en comisaría, en misa, en capilla*, etc. Pero tal ausencia repelería en nombre de instituciones: «el asunto se juzgará en Audiencia Nacional», «se celebraron las exequias en Catedral», «pasa las tardes en Ateneo», «trabajo en Biblioteca Nacional», «ha ingresado en Academia», etc. Es cierto que la falta de artículo ha cuajado en algunos raros casos, como «jugar *en Bolsa*», pero también aquí se da el rasgo de habla gremial, es decir, como connotación de familiaridad con los vaivenes del Ibex. *En sede parlamentaria*, para nombrar lo que desde el siglo XVI se llama Parlamento, añade a la rareza una arroba de cursilería. Con ayuda de la cual se logra, insisto, hacer que tal expresión sea idéntica a *Parlamento;* en muchos escritos de prensa, aparece incluso con otras preposiciones que no son *en:* «España cuenta con *sede parlamentaria* y allí hay que debatir [sic] sobre terrorismo»; o «Anguita se amparó en su condición de diputado para insinuar *desde sede parlamentaria* que se está planteando...». Parece que tal melindre resulta poco o nada frecuente en América. Entre nosotros, se ha abierto a *sede* un gran futuro; cabrá anunciar, por ejemplo, «El vencedor de *Gran Hermano* dará una conferencia *en sede universitaria*».

Como todo en el lenguaje, estos juegos de quitaipón con el artículo revelan cosas del hablante. ¿Quién sino los oficiantes y devotos del dios fútbol es capaz de decir que «el balón sale *por banda derecha»?* Tal tipo de revelaciones o delaciones se produce también con otros determinantes, con los posesivos por ejemplo. Llegan, incluso, a constituirse en santo y seña de clase social: en mi Instituto zaragozano, se decía *ir con mi padre* —los aún bebés decían *con mi papá*—, pero en los colegios de pago era de rigor *ir con papá*. Pertenecíamos a otra tribu más basta, que dirimía sus diferencias con tirachinas, y merendaba pan con pan la una, o con chocolate o chorizo añadidos la otra.

Hablar versátil

La ingenuidad alcanza su cima (*culmina*, dicho con lenguaje periodístico correcto) en algunas personas que achacan a la Academia falta de energía por no ejercer el poder que le atribuyen (?) para aventar del idioma usos perversos; *mutatis mutandis* —pero cambiando mucho— sería como atribuir al decálogo la existencia del pecado. Hace medio siglo, el comediógrafo de moda era Adolfo Torrado: pocos lo recordamos ya, pero en una obra sacaba a un académico, docto y facundo, que se proponía introducir lógica en el diccionario. ¿Por qué, se preguntaba, el *bombín* es cosa de mayor tamaño que el *bombón?*; hay que permutar ambos nombres. La misma falta de racionalidad afecta según él a *polvorín* y *polvorón*, a *botín* y *botón*... Dejaba sin pareja al *cojín*, por la censura tal vez, pero quizá, por fanfarronería.

A ese estereotipo académico obedecen dos cartas que me han escrito sendos ciudadanos invitando a la protesta de que se llame *tertulianos* a los participantes en tertulias, y no *contertulios*. A primera vista, parece que esto es lo debido: los formantes *con-* y *co-* entran en numerosos vocablos con el significado de 'que se comparte algo o se participa en unión de otros': *convecinos, concelebrantes, compañeros* (que comen del mismo pan), *comensales, co-*

autores y cien más. Pero la historia del idioma no les da la razón: lo primero fue *tertulio*, empleado desde el siglo XVII, y es el término conservado aún por «Clarín» y Galdós; *tertuliano* se documenta el siglo pasado, y no surge *contertulio* hasta los umbrales del actual. Se inventaron otros nombres: como *tertuliante*, que empleó con asiduidad, por ejemplo, Carmen Martín Gaite. Nada hay, pues, que objetar a la sinonimia entre tales vocablos.

Sí debe ponerse el grito en la tierra, ya que al cielo importa poco, ante la mema denominación de *cargos electos* que los políticos y sus tornavoces mediáticos repiten hasta el hartazgo: por ejemplo, tal secretario general dirige un fervorín a los *cargos electos* de su partido, que asisten píamente a escucharlo. Pero ocurre que fueron elegidos hace tiempo y han dejado de ser electos. Ya usaban vocablo tan culto nuestros antepasados medievales, y lo acogió, como era natural, Covarrubias en 1611, definiendo como *electo* a aquel que ha sido 'nombrado para alguna dignidad, como *obispo electo*, en tanto que el Papa confirma la elección y la consagra'. El Diccionario de Autoridades, a principios del XVIII, puntualizaba con mayor precisión que era el 'nombrado o escogido para alguna dignidad'; añadía, pues, esa nota esencial de *escogido*. Más tarde, en 1914, la Academia cambió de participio, prefirió *elegido* conforme a la etimología, y añadió: 'mientras no toma posesión'. Así lo ha dejado con evidente razón hasta hoy. Enlaza de ese modo con el obispo de Covarrubias, aportando esa precisión, a la que ahora propinan el pase del desprecio quienes torean con el idioma. Porque resulta evidente que, una vez instalado en su cargo, el *electo* ha dejado de serlo: ahora es concejal, diputado, senador o lo que sea, a secas; esos señores son *cargos públicos*.

Por supuesto, *electo* es puro latín, esa lengua que persiguen inmisericordes quienes planifican la ignorancia y la reparten con equidad. Así, consiguen que se produzcan saludables empujones de risa —y ya recaemos en el pozo insondable del radiofonismo deportivo—, como el dado a la audiencia por un relator al afirmar, lo juro, que «Xavi es el *alma mater* y también el *alma pater* del Barsa». Aunque tiene su lógica; si sólo fuera lo primero, se limitaría a ser madre nutricia. Pero no hay maternidad sin padre. Y si se afirma que el brillante muchacho es ambas cosas a la vez, se le tilda de hermafrodita: un horror.

Otra voz de origen latino, *versátil*, 'de genio o carácter voluble e inconstante' en la lengua madre —esa sí fue madre—, se ha remozado en la nuestra con una útil acepción, de origen inglés por supuesto, que ha penetrado también en francés, italiano o portugués: la de que es *versátil* la persona de variadas aptitudes, y, veces, la cosa que sirve para empleos diversos. Habrá que alojar tal significado en el diccionario, sin olvidar la antigua. Porque no sólo la propiedad sino la oportunidad dan salud al lenguaje: en plenas dubitaciones del jugador Luis Figo sobre si el Barcelona o el Madrid aseguraría mejor el caviar de sus tataranietos, un diario, queriendo decir que el notable futbolista podía jugar con solvencia en puestos diversos, lo calificaba de *versátil*. El periódico, por supuesto, no era catalán: ese adjetivo, en el Nou Camp el pasado domingo, hubiera parecido de lactantes; allí, Figo fue algo mucho peor que tornadizo para los miles de culés, sin duda desinteresados en sus propios contratos, que no lo juzgan inmigrante —lo es, aunque de yate— sujeto al vaivén del mercado, sino descendiente directo del tambor del Bruch.

Ese juego ha creado en fecha reciente otro nombre con el formante -*ismo;* es formidable la capacidad genesíaca de tal sufijo. Ya nacido el vocablo *resistencialismo,* hoy proclamamos, con tenebrosa alegría, la parida de otro: *resultadismo.* Aparece oportunamente para designar la doctrina de una de las dos escuelas existentes en torno al balompié. Una sostiene que el juego ha de ser alborozado, exultante, con los jugadores triangulando y hasta hexagonando a la perfección, disfrutando con el curre, como ellos dicen, mientras trotan con el fin de procurar a los espectadores sumo deleite del ojo: para esta escuela, importa jugar bien. La otra, fundada en el práctico exordio de «a lo que estamos, tuerta», se deja de zarandajas estéticas, de vaselinas, túneles, caracoleos y otros fililís de bota, para buscar y lograr el gol con ceguera: es el *resultadismo;* bendito sea.

El neonato tiene aplicación inmediata a infinitos aspectos del vivir que se estaban desarrollando sin nombre. De ese modo, éste brinda sustento filosófico a los audiovisuales, incluida TVE, que, en vez de espejo donde se miraran el ver y el hablar, son muchas veces esperpento visual y audible del Callejón del Gato (¡pobre Álvarez Gato!). Tal ocurre a menudo cuando transmiten partidos; por las antenas se ha dicho que a determinado jugador «le confían misiones de menor responsabilidad, dada su *avanzada edad».* Si edad avanzada se define por el diccionario como 'ancianidad, último período de la vida del hombre', deben de ser extremadamente curiosas las evoluciones de un artrósico o de un tosegoso, quién sabe si de un alzheimer, con el balón.

Celebraciones

La actualidad tiene de malo que obliga a hablar de ella; atenta contra la libertad de expresión. Y no es porque no acontezca nada, como solía antaño; bien al contrario, sucede mucho, pero siempre lo mismo. Es el chino que pasó veinte veces delante del centinela, y éste, al dar el parte, aseguró que habían pasado veinte chinos. Sólo que ahora pasan unos cuantos chinos unas cuantas veces, pero son los que pasaron ayer. La conversa de los oficinistas en sus multitudinarios desayunos de mediodía, de los automovilistas entre sí ante los semáforos, de los pacientes del hospital aguardando a que, al fin, entre el primero, gira siempre en torno a las mismas cosas. Y de ello hablará cualquiera de nosotros si, dentro de un mes, tomamos el tren para ir a San Fermín, por ejemplo, y no a Villadiego, que es de donde parte la escondida senda de los sabios. Todos tenemos que hablar de lo que pasa, que es vario pero fotocopiado. Y, por tanto, los medios de comunicación se ven obligados a retratar la actualidad y a ponerla en boca de todos (que si el fútbol, que si el famoso y la famosa, que si el fútbol, que la gasolina, que el sueldo por un lado y los impuestos por otro, que el fútbol, que Insalud, que la tele, y otros sujetos y objetos similares anejos al Estado de bienestar, sin olvidar el fútbol).

Algunos informadores, justamente aburridos por tener que repetir hoy lo de ayer, agilizan su prosa noticiera con relámpagos de ingenio. Sucede incluso en casos muy graves, en los más graves que pueden suceder, que son los que paran en muerte, unas veces accidental, y otras a tiro hecho. Entre éstos están, inútil recordarlo, las habituales carnicerías del llamado nacionalismo radical, con el cual niega cualquier parentesco el llamado democrático. Sin embargo, algunos les atribuyen fraternidad gemelar como ha ocurrido en un abyecto atentado. La noticia, glosada por un importante rotativo nacional, aparecía con este gran título: «Arzalluz ha sido el *inductor filosófico* del asesinato [de López de Lacalle], asegura Vidal de Nicolás, presidente del foro de Ermua». Verdad o calumnia, ¿no hay juez que dirima?: una de ambas cosa es punible. Sin embargo, no es la antigua imputación al veterano patriota vasco lo que chocará, sino el que se le llame *inductor filosófico*. Tal denominación debe de equivaler a lo que, a secas, se llamaría inductor o urdidor. Desde hace seis u ocho años, se venía dando el nombre de *autor intelectual* a quien planeaba una fechoría así, distinguiéndolo del mañoso en pistolas o explosivos. No hay duda de que el titular de marras ha querido realzar la personalidad cultivada y espiritual del señor Arzalluz convirtiéndolo en autor *filosófico*, que es mucho más que *intelectual*, dónde va a parar.

Otra cuestión recurrente: con el calor vuelven los accidentes pirotécnicos, esta vez uno terrible, cerca de Gandía, con muertos a los que era preciso enterrar. Y las familias —dice la televisión— no habían decidido aún si iban «a *celebrar* una capilla ardiente conjunta». Expuesto así, se quita lobreguez y amargura al lugar donde un cadáver guarda su penúltimo reposo, asociando un verbo normalmente vivo a algo donde no hay nada parecido a una celebración. Porque allí no se aplaude un mitin o un espectáculo, ni se conmemora algo, ni hay por lo general motivo de alegría, que son las cosas habitualmente *celebradas* (puede haber una excepción: la eucaristía, llamada misa antiguamente). Pero el informador habló de *celebrar* la capilla ardiente, en lugar de *instalarla*. Ese verbo gusta mucho en ocasiones de ese tipo; al morir el Conde de Barcelona, algún medio aseguró que en el funeral se *celebró* una homilía; simétricamente, un obispo destituido por el Papa había *pronunciado* su última misa ante sus diocesanos. No sólo cosas melancólicas o tristes pueden celebrarse últimamente; así, cuando se aseguró que un conocido actor americano había celebrado su *sesenta onomástica*; aunque no hubo audacia en ello si, al nacer el sesentón, le pusieron por nombre el del santo del día; o si hubo verdadera celebración con champán, qué menos.

Hay cosas, no ésas, que en efecto, sí pueden y deben ser celebradas. Lo hicieron, verbigracia, los hinchas del Valencia en aquella jornada de Liga en que acongojaron al Barsa amontonando balones en su red. El titular que un gran diario consagraba al evento estallaba así, rotundo como una carcasa: «El Valencia *ridiculizó* al Barsa (4-1)». Conforta mucho el desenfado con que muchos cronistas deportivos entran a saco en la lengua: la airean, la flexibilizan, la meten en la ruta del bacalao, y, en sus dicharachos, esplende la juventud que le inyectan. ¿Por qué, si todo cambia, hemos de mantener un idioma de cuello duro? Cambiémoslo, pues, para adecuarlo al mundo actual. No obstante, hay veces en que debe ponerse alguna puerta al campo. ¿Qué hemos de entender si los chicos de Mestalla *ridiculizaron* a los blaugranas? Pues lo obvio: que les sacaron la lengua, les restregaron el cuatro por las narices, les colgaron monigotes en la espalda y les hicieron la mamola. Como tal cosa es impensable en un equipo educado, casi *champion* de la *champions*, el rejuvenecimiento de *ridiculizar*, haciéndolo sinónimo de *poner en ridículo*, parece osado en casos como el presente.

Sin embargo, no son extraños los aciertos idiomáticos rotundos en la glosa de los deportes. El adjetivo *sentimental*, por ejemplo, inventado en Inglaterra a fines del XVIII y venido a nosotros durante el ochocientos por los Pirineos, tuvo hace algunos años una hermosa mutación semántica en *compañero sentimental*, manera delicadísimamente francesa de designar al otro o a la otra en la coyunda celebrada —¡ahora sí!; al verbo me refiero— sin juez, alcalde o cura. Ventajosa situación más extendida cada vez, que se denomina *relación sentimental*. Hace juego con el feliz hallazgo, igualmente galo, de *hacer el amor*, es decir, de hacer eso que, apetecerlo siempre y beber sin sed, establece la diferencia, según Beaumarchais, entre los humanos y las bestias. Si esta expresión gálica ha tenido tanto éxito, no es menor el que aguarda al vocablo *sentimental* por su facilidad combinatoria. Que ya ha empezado en las pistas de tenis, cuando de uno de estos virtuosos de la pelota cuyo triunfo en tal o cual torneo desea la gente celebrar (ahora también), se dice que es «el favorito *sentimental*» del público. El que éste sea tan numeroso como suele, impide el riesgo de equívoco. Gran acierto.

Brotes cataclísmicos

Ya está aquí otro otoño, poco melancólico hasta ahora. Si el verde no estuviera desprendiéndose de los árboles, parecería estación jovial. Caen las hojas, pero a cambio nos consuelan brotes lozanos en el idioma; algunos suscitan entusiasmo. Nadie se explica cómo ha podido vivirse en español sin ellos.

Algunos de estos renuevos nombran cosas antes inexistentes y, por tanto, sin voz hasta que ellas han venido. Así, está gustando cuanto cabe el adjetivo *presencial* (*presential* en inglés), con el cual se designa lo que acontece estando presente; lo contrario de *ausencial*, y, aún mejor, *absencial*, vocablos que podrían formar pareja de hecho con el anterior. Éste se aplica, sobre todo, a aquellas actividades docentes que, dicho a lo televisual, requieren la comparecencia de los alumnos en vivo y en directo. De ese modo, se anuncian cursos impartidos electrónicamente y, como aliciente, se advierte que los matriculados tendrán algunas clases *presenciales* con el profesor. Las clases no presenciales, espectrales, seguramente grabadas, hubieran regalado muchas horas de sueño matutino a los profesores pigres de mi época. Nada hay que oponer a cosa y palabra tan cómodas, y a su sacrosanto origen anglo. Cabe esperar su ensanchamiento, y llamar, por ejemplo, *muertos presenciales* a los difuntos de cuerpo presente.

(Por cierto, he dejado atrás lo de *parejas de hecho*; es una excelente designación, ya que no las hay aún *de derecho*; pero resulta etimológicamente raro llamarlas *matrimonio* —así se está haciendo—, cuando se trata de varones: ese nombre se vincula a *mater*. Lástima que *patrimonio* sirva aún menos; la convivencia dentro de esa palabra con Hacienda resultaría incómoda a cualquiera).

Admira la agilidad olímpica que ha adquirido ya el neoespañol: es de platino. El *-al* de *presencial* promete mucho como formante de más neologismos. Por lo pronto, para conjurar enfrentamientos dañinos, un ministro de nuestro Gobierno ya ha invitado a abandonar en política posturas *resistencialistas*. Inaugura así la doctrina del *antirresistencialismo*, que puede arruinar el prestigio de Numancia. En francés existe desde hace cuarenta años *résistanciel*. ¿Son nuestros vecinos los inventores de tan benéfica disposición del ánimo? Apenaría no haber sido nosotros capaces de tanto.

Los vocablos con el sufijo *-al* dan lustre, y deben ser bienvenidos. También sus crías, porque ya campa, sobre todo, por hospitales y clínicas el adjetivo *generalista*: viene aplicándose al médico no especialista. Su origen resulta incierto; existen el francés *généraliste* y el inglés *generalist* desde hace mucho, pero su eco no aparece en español hasta los alrededores de 1994. Lo más probable es que nos llegara por entonces vía atlántica. Y no se refiere sólo a los médicos —de ellos hablaremos otro día—, sino a los ingenieros, a la historia, y, sobre todo a la televisión, que es *generalista* si, además de anuncios, concursos, golfas, golfos y gays inverecundos, presenta magazines, testimonios «humanos», algo de cine, mucho deporte y mucha telecomedia; en fin, cuanto se precisa para vivir. En el invento trabajan también, simultaneando capacidades, *especialistas-generalistas*. Se habla, incluso, de Geografía *generalista* para oponerla a la autonómica. Sin embargo, cualquier cosa menos la otra solución francesa: *omnipraticien*.

Del prestigioso inglés (aunque en él sea probable inmigrante francés) procede el vocablo que un influyente diario de la Corte introduce al referir varias hipótesis sobre el origen del sida: ¿mordiscos de mono?: quizá no; ¿mala manipulación de sus escuálidas pero sabrosas carnes al cocinarlas?: parece menos probable. Con más acierto, se atribuye la difusión del mal a una vacuna contra la polio, que causó «estragos *cataclísmicos*». No contento aún con una importación tan práctica (inglés *cataclysmic*), el reportero ilustra con suposiciones de otros investigadores: cargan ese mochuelo a la CIA o a venganza de las antiguas potencias contra sus colonias; son, en suma, teorías *conspirativas*.

La Vuelta a España en bici fue acontecimiento de finales de verano que también dejó poso en el idioma. Tan importante alarde muscular sucede al Tour, y no es extraño que algunos de los encargados de dar cuenta directa y diaria de esa hazaña se traigan vocabulario para contar la nuestra. Quizá por inadvertencia, hasta este año no había oído que un corredor *picaba* seis segundos a otro, y, por tanto, que a éste le había *picado* esos segundos el de antes. *Piquer* significa también en francés 'robar': nuestros dinámicos píndaros, libres de responsabilidad con el idioma que los alimenta, han realizado esta preciosa aportación, que cabe añadir a la no menos valiosa y graciosa de llamar *unidades* a los componentes de un grupo (o *grupeto*, a la italiana, si es pequeño); ello, verbigracia, permitió afirmar del velocipedista Di Grande que era «una *unidad* muy importante para el equipo».

Y así, sobre dos ruedas, hemos entrado una vez más en el mágico mundo de los deportes, donde siempre aguardan deslumbrantes espectáculos idiomáticos. Desde Sidney, el satélite de los Juegos Olímpicos trajo y deyectó en nuestros televisores nada menos que esto: un prohombre colgando al cuello de unos atletas sus medallas; era la ceremonia de la *premiación*.

Sin embargo, y como suele ocurrir, es en el amplio escaparate del fútbol donde se exhiben inventos soberbios. Así, el Depor coruñés, vencedor en la última liga, es para muchos glosadores de tal juego, no el *actual* (hasta el fin del torneo, por lo menos, lo será), sino el *vigente* campeón de liga. El diccionario dice que ese adjetivo se aplica 'a las leyes, ordenanzas, estilos y costumbres que están en vigor y observancia'. Y como en la nueva temporada algunos equipos han remozado su indumentaria, se alaban o denigran sus nuevas *equipaciones*: los *equipamientos* se han tirado con las camisetas sudadas y las botas rotas.

Vísperas navideñas

Concursar es ya una forma de vivir: los medios están haciendo millonarias a abundantes personas que tienen algún coraje, ya que hace falta para decir, por ejemplo, sin rubor por la obviedad, que lo blancuzco es lo que tira a blanco. Alienta a muchos telespectadores ver que siempre hay quien, teniéndolo a huevo, no da en el blanco, y, entonces, se enardecen, deciden ir a jugarse el todo por el todo, y se presentan en el estudio o en el plató para llevarse los hasta cien millones que regalan.

Quiéralo o no el vidente o el radioyente, cuando lo es —y no tiene más remedio que ejercer de una de estas dos cosas quien carece de entereza—, se ve obligado a cotejar su cerebro con el del concursante, y se envalentona y se anima a concurrir cuando sabe perfectamente, es un decir, que Calderón escribió *El alcalde de Zalamea*. Pero sufre una acre decepción al ignorar a qué edad se aparean los patos, o cómo se llamaba el cámara que filmó *Luces de la ciudad* en 1931. Celebra entonces no haber concursado, ya que así no desmerece ante deudos y amigos, y da por bien no ganado el premio.

Lo malo es cuando, con frecuencia excesiva, esos concursos exhiben la miseria cultural de quien planea las preguntas o las formula. Los cuales casi nunca se preocupan por averiguar cómo se pronuncian los nombres propios que no sean ingleses o castellanos, por lo cual tales nombres aparecen de continuo con vestimenta oral peregrina (no sólo en los concursos: el nombre del desventurado Ernest Lluch —*ernést lluc*— empezó a sonar en la noche trágica como *érnest luch* o *lluch* o *llus*). Pero, ah si sólo fueran los nombres propios. Hay tímpanos, lo sé de cierto, que reventaron al oír por televisión el término musical *scherzo* pronunciado *escherzo*, así, montado a pelo, con su *ch* y su *z*, y preguntando, además, al concursante qué clase de canción (?) es. Otros tejidos mentales no se han repuesto aún del peñazo que les dio el vocablo *allegro*, hermano gemelo del anterior, con *ll* de *gallo y pollo*; o *Aljuabarrota*, intentando designar *Aljubarrota*, nombre de aquella singular batalla que vigoriza, desde el siglo XIV, el sentimiento patriótico portugués. O inquiriendo cuál era la población abulense en que murió santa Teresa, y premiando la solución Alba de Tormes, que es cierta siempre que se haga salmantino y no avilés aquel honrado municipio. Muchas cosas así pueden rasgar las meninges si se siente afición por tales pasatiempos.

A fines de noviembre, varias jornadas fueron justamente consagradas en Valencia al problema de las mujeres agredidas, tan frecuente y bochornoso. Ello tuvo el realce que debía en la prensa y, así, leemos en el titular de un gran rotativo de la Corte: «El Foro Mundial de Mujeres exige el abandono del hogar de los agresores». El hogar es, pues, de los agresores y, por tanto, debe ser abandonado: ¿por las mujeres? Pero otros medios cercioran de lo contrario: se exigió que los agresores abandonaran el hogar, con lo cual, el asombroso titular resulta aún más cervantino que el célebre «pidió las llaves a la sobrina del aposento».

El idioma sufre también agresiones casi cruentas, sin demasiadas protestas del pueblo agredido en su idioma.

Esa misma reunión valenciana suscitó un editorial en otro periódico no menos importante, que atacaba desde el título. Rezaba así: «Violencia de género», y rompía a razonar de este modo: «Mujeres procedentes de cien países (...) han vuelto a dar la voz de alarma sobre la *violencia de género*...». Decía más adelante: «La *violencia de género* afecta a todos los países, a todas las clases sociales y a todas las razas». La tal violencia es la ejercida contra las mujeres con vejaciones, palizas, mutilaciones y asesinatos. También he procurado enterarme sobre qué hace ahí ese *género*, y de las averiguaciones resultan probados los siguientes hechos: *a)* en inglés, el vocablo *gender* significa, a la vez, 'género' y 'sexo'; sabemos todos que, en las lenguas románicas, estos términos tienen significados muy distintos, gramatical el uno, y biológico el otro. Y que, además, no siempre se corresponden: *criatura*, *persona* o *víctima*, voces gramaticalmente femeninas, pueden nombrar indistintamente a un varón o a una mujer; a la inversa, *marimacho*, palabra de género masculino ordinariamente, se aplica sólo a mujeres; y *cocinilla*, diminutivo del femenino *cocina*, sirve para descalificar a un varón 'que se entromete en cosas, especialmente domésticas, que no son de su incumbencia', según la Academia; *un encanto*, vocablo masculino, puede remitir tanto a una dama como a un caballero; y un *solete* será una cosa u otra según hablen a él o a ella; *b)* en el Congreso sobre la Mujer celebrado en Pekín en 1995, los traductores de la ONU dieron a *gender* el significado de 'sexo'; así incluían también a los transexuales, que, siendo hombres de cuerpo, se sienten mujeres, o a la inversa: también se ceba la violencia contra sus personas.

La solución, inmediatamente aceptada por algunos siervos de la lengua inglesa, satisfará, tal vez, a quienes tienen que vivir en tal contrariedad, y sería aceptable si no hiriera el sentimiento lingüístico castellano (y catalán, portugués, italiano, francés, etc.), donde se diferencian muy bien cosas tan distintas como son el género y el sexo. Hablar de *violencia de género* parece demasiada sumisión a los dictados de la ONU, autora de tantos desmanes lingüísticos. Por supuesto, y para que conste, creo que esa violencia debe ser duramente perseguida, pero con otro nombre. En realidad, es una *violencia de superioridad*, sea sexual, física, de poder o de otras clases: también estas violencias debieran ser legalmente perseguidas; igualmente, la Gramática merece un respeto.

En tanto, el submarino nuclear inglés sigue provocativamente en Gibraltar, por lo cual se ha repetido en muchos medios que está *varado* allí. Lo cual es falso, pues *varar* implica sacar del agua la embarcación, o quedar ésta entre las peñas o en la arena. Prueben los malhablados con el verbo *atracar*, que significa 'arrimar el costado de una embarcación al muelle'.

A todo esto, y casi sin notarlo, nos hemos plantado ante otra Navidad. Ésta llega siempre cuando los jugueteros lanzan la horda de los niños contra padres y demás paganos indefensos. Mis nietos me traen un precioso catálogo donde ya han elegido; doy vuelta a la portada, y me encuentro con un *garages* en letras grandes, que me pone en guardia. Luego, topo con palabras sin acento: *tu*, *habiles*...; y merodeando entre las ofertas, me asalta esto: «Ratoncito Pérez *combierte* en una moneda»; hay también unos bichos peludos que «hablan un *bocabulario* infantil». Millares de niños (con ilusión) y de adultos (con temor) leerán el catálogo. No inquiero más; deben actuar Papá Noel o los Magos contra este hecho execrable.

Entrando en año

Hoy es día histórico (así se dice) en mi vida: éste será mi primer artículo del año 2000. Impresiona ese cambio en las unidades de millar; muchos de mi edad, y, con motivo mayor los de más, tenemos que agradecer a los impacientes trucadores (no simples trocadores) de fechas que, regalándonos un año de vida, hayamos podido hacer pie en el siglo XXI; y no podrá decirse que sin comerlo ni beberlo, con Nochevieja por medio. Confieso la congoja que me acometía ante la posibilidad de haber sido sólo «un señor del siglo pasado», pero la amputación que han infligido al XX (y al milenio, por tanto) me libra, y a otros como a mí, de ser unos simples finiseculares; cerrando los ojos a los cómputos, henos aquí viviendo en «el cruce de las dos centurias»; lo cual es otra categoría.

Y aprovecho esta sublime ocasión para responder a una amiga que me pregunta en un «christmas» por qué la Academia se desentiende del vocablo *rumorología*. ¡Es tan linda!, me dice, con la persuasión porteña que rezuma su carta. Además, la recogen bastantes diccionarios. Le aseguro que no sé por qué falta en las columnas del sacro aposento, aunque, si persiste tanto, entrará. Lo cual no impide que me parezca —y no sólo a mí— una gema en el tesoro de cutrez culta que está acumulando nuestro idioma. Es muy reciente, tal vez no muy anterior al año 80 de este siglo (al XX me refiero), y sirve para ennoblecer a punta de sufijo el salteador anónimo que, muchas veces navaja en mano, colma el apetito de ajenas sorpresas, tan grato a todos, mejores cuanto más estrepitosas. Del formante *-logía* dice el diccionario que aporta el significado de 'tratado', 'estudio' o 'ciencia', y, en efecto hay que escarbar poco en el idioma para comprobarlo. Cuando se tenía con el idioma otra amistad y otro aquel, se inventó para decir lo mismo *chismografía*; empezó siendo, como lo fue *rumorología*, una voz burlesca para designar la marea de chismes que empapa a la sociedad en un momento dado, pero no era tan petulante. Al nombre *rumor* —aunque menos afrentoso que *chisme*, es cierto—, se le ha puesto el rabo prestigioso de nombres de ciencias y saberes, para que nazca el pipiolo y medre y arrumbe a la vieja *chismografía*. Pero nada ocurre sin causa, y ésta puede deberse al moderno arraigo —en España al menos— de profesionales del rumor que ejercen tal oficio en los medios: el nombre *rumorólogo* luce la misma trasera que sexólogo o parasitólogo, y, muchas veces, se aplican al mismo objeto. Tan fértil hallazgo abre grandes horizontes genesíacos a *-logía* y *-logo*: gracias a ellos, podrán fundarse nuevos vocablos imprescindibles, *madridólogo* o *barsálogo*, por ejemplo, para especialista en ambas *futbologías*.

Tal vez no fuera muy desenfocado interpretar *rumorología* como un oximoron o paradójica reunión de contrarios. Es una pareja de hecho formada por antagónicos, o casi. Y nada hay más bellamente retórico (*un silencio elocuente*), gracioso (*unos finos insultos*) y hasta místico (*que muero porque no muero*). En cualquier caso, se trata de un fenómeno normal, y en crecida imparable.

Son muy notables, verbigracia, los pregonados ti-
rones alcistas de la Bolsa en diciembre, después de haber
andado de capa mustia durante meses, y de tener a mucha gente en un ay. Pero al final del otoño vinieron las
lluvias, y al misterioso juego de los valores se le puso buena cara, según decían, aunque bastantes continuaron de-
macrados. Y es que la ascensión pingüe, aunque cosa de
pocos, elevaba el promedio de las cotizaciones, y esto parece ser lo que se cuenta. Como dijeron, y no sólo una
vez, por la radio es que la subida se producía *por culpa* de
Telefonica (pronúnciese *telefónica*) y empresas así. «Felix
culpa», como dijo san Agustín con un celebrado oximoron. Pero no creo de menor agudeza éste de algunos
glosadores de la economía: hacen *culpables* a las compañías en alza de algo tan risueño como ha sido el des-
pertar del sopor dinerario; a cambio, pudieron vencer el
insomnio tantos conciudadanos a quienes esa situación
ocupaba y preocupaba (por decirlo con esta boba muletilla
hoy trotona).

Es singular el prestigio que rodea a la figura retórica agustiniana. Así, sigue sonando alguna vez lo de *sufrir
mejoras* por experimentarlas. Es verdad que las mejoras
hacen sufrir a veces (asfaltados, obras de aparcamiento,
depilación de piernas, etc.), pero eso es otra cosa. Sin embargo, este oximoron no abunda tanto como otro que
alancea de cutio ojos y oídos. Es el de *conseguir* varias derrotas seguidas, cosa que, según comentaristas, hicieron
los grandes titanes del balón hasta hace poco (¿o aún?).
Pero en el significado de ese verbo, como en el de *lograr*,
entran como fundamentales las notas de 'pretender', 'con
deliberación' y hasta 'con esfuerzo'. Sin embargo, no rechazo ese uso con decisión: pudiera ocurrir que, en *conseguir derrotas*, no hubiera asociación paradójica. Porque

¿y si el amor que proclaman a su camiseta esos jóvenes potentados les impidiera someterlas al sudor, plebeya secreción del esfuerzo, temiendo que empape unas prendas tan amadas —por contrato— y gloriosas. Se resisten a convertir su once en una gañanía montada en Ferrari: también se deben a la marca. Y ese propósito recto los vuelve incomprendidos para el vulgo de las gradas, a quien gusta, y es gusto zafio, ver las axilas de los muchachos rezumando. Pero se ve que muchos zagales cresos no están por esa labor, y prefieren conseguir derrotas, irritantes para la plebe, pero sin oximoron.

En cambio, escarceando por entre la broza de los estadios, lo hallamos en la abyecta afirmación de que tal futbolista metió un gol de bandera con su magnífico *oportunismo*. Constituye plaga este disparate que remite, ciertamente, a *oportunidad*, consistente, según el diccionario, en aprovechar al máximo las circunstancias para obtener el mayor beneficio. Lo cual hacen algunos jugadores príncipes. Pero es que el riguroso mamotreto exige algo más para ser oportunista: se precisa que ejecute su acción sin 'tener en cuenta principios ni convicciones'. Al elogiar el *oportunismo* de un jugador, se produce una asociación de contrarios (mérito-ratería), que ya no desconcierta a los cronistas de los verdes campos del domingo.

Tampoco es indigna de consideración la alianza extraña que causó el peligroso temporalillo de nieve y frío con que empezó a asomarse el invierno: un gran diario anunciaba con destacado titular cómo se habían adoptado oportunas «medidas para *sofocarlo*».

2001

Alud de excepciones

El correo de este mes me ha hecho temblar las manos con la cólera vibrante de lectores que se sienten lingüísticamente ofendidos por el título de la película *Antes que anochezca*. Falta un *de*, claman: *Antes de que anochezca* sería lo correcto. Contra tales protestantes se ha escrito que son unos «puristas», con el mismo desdén progre que ponía el loro de Iriarte en su insulto a la cotorra castiza: «Vos no sois que una purista». Pues no; sería purista quien, al contrario, viendo anunciado *Antes de que anochezca*, exigiese *Antes que anochezca*, porque ésta es la construcción «pura», la única que emplean los clásicos: «*Antes que* la noche viniese, di conmigo en Torrijos», cuenta el pícaro salmantino. Y como él, don Quijote al aseverar: «... tengo determinado de ir [al Toboso] *antes que* en otra aventura me ponga». De ese modo, sin preposición, se mantuvo tal precisión temporal hasta nosotros; y cuando el desventurado novelista cubano Reynaldo Arenas tituló así el libro en que han basado la película, andaba en la compañía más solvente.

Pero ¿por qué recusar a quienes prefieren *Antes de que anochezca*, si ello es también posible, desde finales del siglo XVIII al menos? Rufino José Cuervo apela a Alberto Lista para documentarlo: «*Antes de que* los Reyes Católi-

125

cos expeliesen los judíos…». Ello, sin duda, no gustaba al maestro colombiano, ya que, en sus admoniciones a los bogotanos, diagnostica como «desaliño» tal uso; sin embargo, algo más tarde, en su *Diccionario*, no prevenía contra él. Y es ésta la fórmula que hoy alterna ventajosamente con la clásica, de tal modo que María Moliner la registra con el ejemplo «*Antes de que* salga el Sol», y confirma en un apéndice que «parece razonable no negar legitimidad» a esta construcción. De igual modo, el *Esbozo* académico de 1973 se limita a afirmar, sin restricción alguna, que ambas locuciones se emplean para expresar la simple sucesión más o menos mediata. Y es que, como hemos dicho, la fidelidad al *ante quam* latino cesó hace más de doscientos años entre gente ignorante —¿quién ha hecho en lo básico los idiomas neolatinos sino los ignorantes?—, y obró la presión analógica (perdón Varrón, ave César) de «*antes de* anochecer»; o de «*antes de* la noche», introduciendo la oración sustantiva *que anochezca* allá donde estaban sus parientes gramaticales: un nombre o un infinitivo. Una muestra de la actual preferencia por la fórmula con preposición lo ofrece el error de una conocida enciclopedia que, al enumerar obras de Arenas, le atribuye «Antes *de que* anochezca». Y eso sí que es pasarse.

Pero éstas son cuestiones demasiado arduas para ponerlas negro sobre blanco en un periódico. Lo de poner *negro sobre blanco*, con el significado de 'poner por escrito', es cosa que ahora gusta mucho en los medios de comunicación, y hasta hay un programa así titulado en la horrorosa televisión nacional que intenta convertir en lectores a los televidentes con inyecciones de idioma legítimo en vena. Para ello, calca el inglés *black and white*; si el español era, según una definición clásica, un latín mal hablado, pronto será un inglés chapurreado.

Aun desde muy lejos del purismo, causa malestar tanto maquillaje de marca anglosajona incrustado a brochazos en el español sin que añada nada al natural. Recuérdese el *Damas y caballeros* en los filmes doblados o ya en los de aquí, soslayando el *Señoras y señores* que era de norma en nuestros perorantes. Y no se olvide la fascinante sandez, tan repetida en la pantalla grande o pequeña cuando dos personajes se encuentran pasado algún tiempo, y se ponen a recordar en estilo neomanriqueño los *viejos tiempos (old-time)*.

No de aquéllos, sino de estos tiempos es la amenaza de una innovación que algunos llaman televisión digital *terrenal*. Pero ¿aún cabe una televisión más opuesta al cielo que la de ahora? Si *terrenal* es, en español, lo contrario que *celestial*, una de dos, o estos terroristas del lenguaje creen que es empíreo todo lo que ahora sale por antena, o meten de matute el inglés *terrestrial* que, en esta acepción, es decir, la de *terrestrial transportation* (y no por aire o mar), equivale a *terrestre*. Pero no lo saben.

Volviendo a nuestras flojeras propias, esto es, no contagiadas por virus exteriores, prosigue incansable la conversión de los verbos intransitivos en transitivos; choca ahora *batallar*, al que analfabetamente se atribuye la misma naturaleza gramatical que a *combatir*. Por ello, cuando hace poco murió el gran narrador venezolano Uslar Pietri, uno de nuestros periódicos más ilustrados lo definió como «un intelectual que *batalló* la injusticia con las armas de la palabra». De igual modo, se ha afirmado que los pescadores andaluces, a quienes están arrebatando una parte esencial de su vida, están *batallando* su derecho a pescar en aguas moras.

Cunde, por cierto, la creencia en que este adjetivo, tan latino *(maurus)*, es peyorativo; puede serlo, al igual que *español* cuando, por ejemplo, lo exudan con intención de miura abundantes labios donostiarras y vizcaitarras; pero resulta completamente aséptico para designar, según el Diccionario académico, al «natural del África Septentrional frontera a España» y, funcionando como adjetivo, a lo relacionado con los de allí y con sus cosas. Los propios moros estiman ofensivo que se les llame moros, y muchos prefieren ser aludidos como *musulmanes;* pero nuestros pescadores, firmes en la seguridad católica que les dan sus Vírgenes, no desean faenar en caladeros mahometanos —pues esto significa *musulmán*—, sino sólo en los pertenecientes a Marruecos, aunque sus aguas no sirvan para bautizar, por moras. O por *marroquíes,* hablando más precisamente, si se insiste en ver xenofobia o racismo en *moro.* Ambas cosas hay sin duda, pero ésta es carga aneja a muchos gentilicios, y *marroquí* no la alivia.

Entre las alegrías que pueden permitirse no sólo los políticos sino también los informadores, está la de negar el principio de contradicción; ocurre cuando, con toda maestría, afirman que una cosa es y no es a la vez. Hace un mes murió el atleta Diego García, y un periódico comentó que su repentino fallecimiento era «el último caso de muerte súbita de un deportista, *algo excepcional, pero que se repite con alguna frecuencia».* Se trata, con todo, de un gozo mínimo comparado con el que se experimentaba cuando un veterano cronista narraba así: «La Reina [Victoria Eugenia], que había nacido y crecido entre caballos, con un intenso cariño hacia ellos, me recordaba con espanto cómo un toro destrozó literalmente a dos *jumentos* bajo el palco real que ocupaba junto al Rey». ¿Son excepciones ocasionales, o es que está ya así de enlodada nuestra lengua en muchas mentes?

Reforma

Es casi seguro que, en la plaza, el torero y el toro enfocan la corrida de modo distinto. Y muy cierto que la noticia de que va a regularse de otra manera el ingreso en la Universidad será acogida con cierta ira y temor por quienes viven en la edad áurea del estudiantado. El propósito ministerial tiene mucho de positivo: que el gobierno, un gobierno, se haya decidido a mirar el panorama que ofrece la enseñanza; y bastante de malo: el precedente triste de que todo cambio en tal tinglado conduce a peor.

Sin embargo, cada renovación es seguida por una esperanza, como quizá haya brotado en la profesora andaluza de Leyes que me ha enviado, con una carta estremecida, un manojo de ejercicios de Selectividad estremecedores. Huyendo de todo dramatismo, declarándolo sin énfasis y sin olvidar nada, la situación de todo el sistema educativo figura desde hace varios decenios entre lo más grave que le pasa a España. En todas las carencias nacionales, disimuladas bajo una policroma sombrilla de bonanza material, subyace la enorme debilidad de la instrucción nacional, que, dicho con brevedad, incumple su función social.

Como es natural, el lenguaje exhibe esa realidad como una radiografía o, mejor, como una resonancia. No se trata de que se entrometan en él neologismos, tantas veces beneficiosos, sino de una creciente falta de intimidad que poseen los hispanohablantes con su idioma; parece que, en muchos dedicados a hablar o a escribir para el público, se ha quebrado la relación entre los vocablos y su significado, de tal modo que ambos tiran por su lado: no tienen el gusto de conocerse. Así debió de ser Babel.

Por cuya torre trepó el causante de este otro estropicio: a alguien se le ha dado una medalla por los méritos *contraídos*, con lo cual esos méritos eran probablemente una gripe, a no ser que un bajón de temperatura los hubiera achicado; porque, en español, *contraer* se reserva para las enfermedades y para lo encogible. Aparte, claro, el matrimonio, indeciso entre ser enfermedad o mengua.

He aquí otro ejemplo de corrimiento del significado: un locutor de radio, narrando un caso de abnegación maternal, ha enternecido a la audiencia hasta la lágrima. Y el narrador glosa el relato: es, dice, «una historia llena de *humanismo*». Resulta extraordinaria la capacidad de *humano* para inducir disparates. Cuando la creíamos limitada al aborto ya asentado de *crisis* o *catástrofe humanitaria* (adjetivo, todo el mundo lo sabe menos muchos, que califica a lo que mira o atiende al bien de las personas: ni de lejos es propio de los terremotos), he aquí que *humano* traslada sus inocentes priones a *humanismo* y lo enferma. No bastaba con hablar de una catástrofe *humana* o de una historia llena de *humanidad*. Parece fácil aprender las diferencias entre *humano*, *humanitario*, *humanismo* y *humanidad*; pues no: para muchos, chino.

Ahora estamos viendo, faltaba más, un partido de fútbol: el estadio Bernabéu es una inmensa olla de luz y de rugidos hirviendo en la gran avenida madrileña. Sobre la hierba acontece el ordinario vaivén del balón. De pronto, a un jugador contrario se le suelta el pie, hiere un muslo casero y le hace una larga brecha; el lesionado sangra por ella, y el locutor hace notar lo grande que es aquella *cicatriz*. Otro pigre a quien la significación se le desprende del significante: repetimos que ocurre mucho.

Un nuevo caso: en un encuentro reciente, un defensa infligió a un adversario una patada sin sangre pero con dolor, si lo creemos según los retorcimientos que hacía el supuesto dolido por el césped. El partido estaba caliente, sus compañeros acudieron rápidos a la dialéctica de los puños, y se armó la tángana. El narrador televisivo no dio importancia al asunto; con voz tranquila, aseguró que era un choque *costumbrista* siempre que se enfrentaban aquellos rivales. Por falta de puntería, su locuela fue a llamar *costumbrista* a lo que era *acostumbrado*. ¿Mero lapsus casual? Es posible pero improbable, dada la amplitud de esa forma de errar que vamos viendo.

La cual tiene otra refulgente manifestación en la reciente noticia de una encuesta hecha entre entrenadores de fútbol; se les preguntaba qué equipo ganaría la Liga, y todos coincidieron —con matices— en el Madrid. Lo cual expresó así un gran periódico de la Corte: *Unanimidad en cuanto al favoritismo del Madrid*. Dado que el *favoritismo* se produce cuando el favor prevalece sobre la justicia, los tales místeres, según el reportero, se adhieren a aquella tontería coral, tan cantada por esos campos de Dios, según la cual «Así, así, así gana el Madrí».

Justo al llegar a este punto del escrito, me llega una carta de mi tierra con el recorte de un querido diario: corrobora con fulgor la tembladera que le ha entrado al idioma. Más de una vez he señalado cuánto aumentaba la confusión de *corpulencia* con *envergadura*, identificando la fortaleza física con la largura de ambos brazos extendidos. Ya anda consagrada la equivalencia por varios diccionarios y entrará sin remedio en el académico: otra distinción significativa que se esfuma. ¡Son tantas desde que, hace ya mucho, se suprimió el examen de ingreso a los diez años! En el recorte antedicho, se refiere cómo varios testigos vieron a un etarra colocando un coche-bomba en Madrid hace unos días, y continúa: «Los vecinos explicaron en su primera declaración que [el tal individuo] era de *envergadura delgada*». Al lado de quien se expresa con tanta valentía, los místicos, maestros del oximoron («muerte que das vida», «oh regalada llaga», «que muero porque no muero») parecen poco inspirados.

Tan oportuna sorpresa me ha quitado holgura para otro asunto constituido en epidemia. Salta a los ojos cuando se leen o se oyen cosas así: «El consejero dijo que era necesaria una *actuación* radical contra la pobreza»; «Hay barriadas en situación de *actuación* permanente», «A lo largo de este año se *actuará* en las carreteras», etc., etc. *Actuar* y *actuación:* son la última moda, y caen tantos sobre el papel como misiles en Bagdad. Habremos de verlo con más espacio. Y aún hallo en otro diario no madrileño esta pepita de oro: «Durante doce horas consecutivas, cientos de almonteños pasarán por la Casa de la Cultura para recitar los versos que componen *Platero y yo*».

Reforma ya, o nos anegamos. Pero, eso sí, con tiento, pericia y justicia; si no, recemos lo de aquel paralítico en Lourdes.

Onda expansiva

El salvaje hundimiento de las Torres Gemelas neoyorquinas ha removido los cimientos de todo, y quizá sea frívolo considerar la remoción desde el lenguaje; pero el español también plañe estas semanas al pie de la desolación en labios pobres de hispanos pobres, y quizá no resulte más insustancial hablar de él que echarse esos cánticos que se pegan por Nueva York en muestra de pesadumbre.

Los sismógrafos registraron la masacre como si fuera un terremoto, ese brutal enemigo de la geometría, que quiebra la línea recta y deroga la verticalidad. Este último mo accidente podemos observarlo en abundantes noticias que viajan por Internet; el titular de una noticia de *El Excelsior* de México fechada en Kabul, reza: «No se extraditará a *Bin Laden* sin pruebas». Pero a continuación asegura: «El presunto terrorista saudí *Osama Ben Laden* no será extraditado de Afganistán...». En sólo dos líneas, el rotativo mexicano da un salto gráfico de la -*i*- a la -*e*-. No está solo: días pasados, su compatriota *Mural* lo acompañaba por Internet en la inconstancia. Y así, pudimos enterarnos de que el «terrorista islámico *Osama Bin Laden*» ya había anunciado un gran ataque contra los Estados Unidos: lo refería «Abdel Bari Atwan, un periodista conocido por tener acceso a *Ben Laden*». No son sólo diarios de aquellos países, que, al fin, están lejos de La Meca; desde mucho más cerca de ella, la agencia *Muslimedia* lanzaba en 1998 el titular siguiente: «Following last month's attempt on the life of *Osama bin Laden*»; y entrando en la noticia, llamaba *Osama ben Laden* al elusivo Pimpinela.

Si salimos de un solo periódico y pasamos a los demás del mundo, el bandeo del *ben* al *bin* es de vahído. No se trata de abrumar, pero he aquí: *The Star* de Jordania, *bin*; el *Jordan Times*, de ídem, *ben*. *La Revue* de Líbano, *ben*; también escribe *ben* la versión electrónica en inglés del diario *Pravda* de Moscú. Y como la cercanía de esta lengua por el Caribe infunde *bin*, así lo escribe el *Granma* cubano. Por el contrario, la agencia *Afgha*, de la resistencia afgana, dice *ben Laden*, así como la prensa gala, casi en su totalidad, con *Le Monde* o *Le Figaro* al frente, y con la agencia *France Press* en todo cuanto cubre, incluida la antigua África francesa. Y eso da lugar a curiosos estrabismos, como el de la agencia *Europe*, que distribuye noticias en esas dos lenguas. Haciéndolo en francés, define a *Oussama Ben Laden*, como «Riche homme d'affaires d'origine saoudienne né à Riyad en 1957 dans une famille d'entrepreneurs». Pero cuando se suelta en inglés, el personaje pasa a llamarse *Osama bin Laden*, el cual es un «Rich businessman of Saudi origin born in Riyadh in 1957 into a family of entrepreneurs».

Apenas si he recorrido prensa italiana, pero *Il Corriere della Sera*, escribe *bin*, mientras la agencia turinesa *Unonet*, habla de *Oussama ben Laden*. También el *Frankfurter* opta por *bin*. Más cerca de nosotros, el *Diário de Noticias* lisboeta ofrece *ben*, mientras que su paisano *Correio da Manhà* lee *bin*. Y si nos metemos dentro de nuestra lengua, la balanza se aquieta y casi entra en éxtasis ante el *bin*. No es que falte *ben Laden*, y así comparece en diarios importantes como en los colombianos *El Tiempo* y *La Opinión*, o *La hora* de Ecuador, *Reforma* de México, *La Nación* bonaerense, y en los despachos de la agencia argentina *Télam* (no obstante, por la rima, *Clarín* prefiere *bin*).

Pero acudiendo a los medios de comunicación escritos u orales españoles (hemos visto una excepción: *La Razón* de Madrid), el *bin* replica incesante; así, en los veinte diarios que hemos oteado, desde *La Vanguardia* barcelonesa, pasando por los periódicos no madrileños como *Heraldo de Aragón*, *El Norte de Castilla*, *El Correo Español*, *El Faro*, *La Nueva España*, *Diario La Rioja*, *Hoy*, *El Ideal*, *Las Provincias*, *Sur*, *La Verdad*... ¿A qué seguir? Nada puede contra ellos el mismísimo Ministerio del Interior, que, el pasado 22 de junio, notificaba cómo la Policía había detenido en Alicante a un tal Melani, terrorista vinculado a *Osama Ben Laden*.

¿Quién acierta? Tal vez todos, porque el árabe ha ofrecido muchas resistencias al vocalismo romano. Durante siglos hubo bastante conformidad en *ibn*, 'hijo de', y con su versión por *aben* (*Ibn Arabi*, convertido en *Abenarabi*, *Ibn Masarra*, adoptado como *Abenmasarra*, *Aben Guzman*, *Abenamar...*) o en *ben*, como *Ben Hazam*, *Ben Jaldún*, *Ben Bassam* o el famoso poeta ciego de Cabra *Mocádem ben Moafa*: los personajes árabes, en suma, de mis manuales de estudiante; y ya casi en mi vejez, por motivo nada literario, fue unánime *ben* Bella). Días pasados, periódicos españoles reproducían una pintada marroquí en Melilla, donde se leía nítidamente en español «*Ben Laden* es inocente» y, tres días después, otro letrero de iguales rasgos abogaba por *Bin Laden*. Y es que esa vocal varía en el ámbito geográfico de la lengua árabe, y son distintas, por tanto, las transcripciones. De igual modo, *bin* o *ben* se oyen de modo diferente dichos por un francés, un yanqui o un portugués. Ciñéndonos a la simple escritura, única cuestión que aquí se trata, hubiera convenido una forma única para hispanos, o *bin* o *ben*, consultando a quienes saben de esto: Corriente, Martínez Montávez, Vallvé, verbigracia. De momento, y si esos maestros no se oponen, voto por *ben:* resabios de juventud. Sin embargo, dado que la mudanza ahora pudiera ofrecer resistencia a muchos, quizá convenga el ignaciano no hacerla.

Y eso que no es éste el único problema que el barbado fugitivo añade a sus matanzas: *Osama, Usama, Laden, Ladin...* No es menos caótico el tamaño que tiene la inicial de la partícula: *¿Bin, ben, bin, Ben?* ¿No suena a tiroteo o a reloj de torre?

Las bombas aeronáuticas han afectado en muchas cosas más a nuestra lengua: no caben aquí. Algunas sandeces han recidivado; así, se ha dicho, y se dice aún, que lo ocurrido en Nueva York ha sido una *catástrofe humanitaria*, o sea que, Diccionario en mano, ha hecho gran bien a la humanidad. Mucho más estruendoso fue el titular que, en una tirada de urgencia, puso a la noticia un periódico madrileño: *Hecatombe contra los USA.* Pero la *hecatombe* es 'mortalidad o catástrofe', y no se lanza *contra* nadie, sino que se sufre *en.* Pero el 11 de septiembre autorizaba al trompicón mental.

Ocurre además que algún cronista ha convertido Pakistán y Afganistán en países árabes, y ha confundido *islamista* con *islámico.* Repito: da mucho de sí esta monumental contienda; y aún dará más cuando los norteamericanos, que, según una televisión, van cercando al fúnebre *ben* o *bin* con mucho *secretismo*, actúen a ojos vistas con mayor descarismo.

Primavera verbal

Verba volant. Y ¡de qué modo vuelan en esta primera primavera del siglo! Como golondrinas, como violeteras, como moscas. O, mejor aún, como abejas rubenianas, que pican en el corazón de quienes son sensibles a estas importantes quisicosas. Pululan por las ondas, sobreviven a los ciclones, a las inundaciones. Abres un transistor, una teuve, un diario y allí están, tenaces, estos *verba* volanderos, nada volátiles: no se disipan.

Y es que el gobierno, acéptelo o no, brinda demasiadas ocasiones para ello. Así, se le ha ocurrido aprobar ahora el uso de la píldora anticonceptiva que, durante las veinticuatro horas posteriores al evento, actúa contra el producto como un bazuca. Era esperable que, apenas trascendiera la noticia, los medios fueran a ponerse a hablar como locos de la *píldora del día después*. Y así ha ocurrido. Quizá la probada discreción gubernamental no haya encontrado mejor momento para autorizarla que este arranque de la primavera. Ahora bien, ¿se ajusta a la realidad eso de *el día después*? ¿Acaso escasean los casos en que, oh jóvenes ardorosos, no existe tal día, ya que todos los días son hoy?

Pero, en fin, estas meditaciones son demasiado trascendentes, y los vocablos tienen naturaleza tan alígera y frágil que muchos los aúpan o derriban de un soplido. Esto de *el día después* fue alzado por novadores de inglés enteco, que vieron profusamente anunciada, hace años, por todo el país, la exitosa película (hablando de cine, ese adjetivo horrible va bien) de Nicholas Meyer *The day after* (1983), a la cual se conservó el nombre inglés en nuestras carteleras. Magnífico, se dijeron; y *el día después* quedó anclado en sus teclados y en sus voces como ocurrencia prestigiadora. De ese modo, se consumaron al menos dos violaciones: se cambió el adverbio *después* en extraño adjetivo para calificar el nombre *día;* y, de paso, se arrumbó *el día siguiente*, dejándolo apto sólo para la tercera edad. A los pobladores de ésta nos resulta muy difícil entender cómo el idioma español se ha divorciado tanto de las meninges contemporáneas. Y nos produce perplejidad que los medios impresos y las emisoras se encarnicen con él de tan malos modos.

Cientos de neologismos entran en nuestra lengua con su pan bajo el brazo; quiero decir, con las cosas nuevas que nombran o con matices que no percibíamos; salud para ellos y bienvenidos, pues traen modernidad y ganancia. Pero no se sabe bien qué pintan y qué demonios hacen por aquí groserías como ésta, impresa en el folleto que acompaña al tal vez más conocido periférico de ordenador: «Manual *instructivo de operación* para la impresora...». ¿Qué será eso de *instructivo de operación?* Estas empresas gigantescas, ¿no podrían tener traductores que facilitaran una relación razonable entre ellas y los miles de clientes que hablamos español? ¿Tan a salvo se sienten de medidas legislativas que un gobierno podría establecer —sin ir más lejos, Francia— para impedir la ofensa que se hace a los ciudadanos llamando *manual instructivo* al manual de instrucciones?

Pero, en fin, hay que acostumbrarse: pedito de monja en Nueva York, pedorrera en Europa. Oigo por la radio a un excelente periodista: viene de las costas gaditanas de la muerte, donde ha visto varios cadáveres de patera varados en la orilla misma de su sueño. Ha llegado al estudio profundamente impresionado. Por ello, advierte a sus contertulios, le es imposible ser más explícito: no ha tenido aún tiempo para *procesar* lo que ha visto; así lo dice, y así lo repite. A mí me aflige lo que cuenta pero los oídos —aberración profesional— se me van al verbo del relato. *Procesar*, dice el diccionario, es un término tecnológico que significa «someter datos o materiales a una serie de operaciones programadas». Yo sólo conocía esta acepción: escribo en un ordenador, que está ahora mismo procesando lo que escribo. Así que creí hallarme en el nacimiento mismo de una novedad, pero no: resulta que, según el gran archivo académico, es habitual, desde hace un cuarto de siglo, concebir el cerebro como un procesador al que le entran los datos, los hace rodar por las fibras mielínicas y los saca aptos para el consumo. Lo ignoraba por tener tan abandonada mi, antes predilecta, información psicológica. Y como temo que a muchos lectores les pase lo mismo, ahí tienen el advenimiento de esta metáfora informática inglesa, ya más que adolescente, audaz, sugestiva y útil: procésenla y disfrútenla esta primavera.

Pero no abandonen por ello otras noticias apremiantes; así, la del gran club vasco que ha cambiado de presidente por estos días. ¿Qué rumbo imprimirá el vencedor? Un cronista deportivo radiofónico tiene la clave: se propone desarrollar un proyecto *continuista del anterior*. Otra mala avenencia entre el vocablo y su significado: *continuismo*, dice el diccionario, y parece cierto, es la «situación en que el poder de un político, un régimen, un sistema, etc., se prolonga indefinidamente, sin indicios de cambio o renovación». ¿Es ser *continuista* o ser *continuador* lo que se propone el nuevo presidente? Porque se puede continuar y renovar, evitando dar de lo mismo, y menos, cuando lo mismo no es boyante. Pero distinciones así, que se aprenden mientras se está aplicado a la teta materna, parecen inaccesibles en esta época en que suele administrarse leche de farmacia.

En los mismos laboratorios parece haber mamado un colega del anterior, éste de TVE, que contando el reciente partido del Madrid contra el Leeds, dijo literalmente que ninguno de los dos equipos estaban jugando «con calidad pero sí con *animosidad*». Sin embargo, no se apreciaban codazos ni había montería de tobillos, sino sólo buen ánimo o entusiasmo en el juego. Y, en efecto, *animosidad* fue el abstracto derivado de *animoso*, y, se usó con el significado, digamos positivo, de 'con buen ánimo' hasta la primera mitad del siglo XIX, pero el Diccionario de 1843 registra, junto a la anterior, la acepción de 'ojeriza tenaz', que se impuso absolutamente: he buceado por los veinticinco años últimos en el banco de datos de la Academia: posee más de cien registros del vocablo, y éste trabaja sólo con un único significado: *animosidad* equivale a 'aversión, ojeriza, hostilidad'. Y como es improbable que aquel comentarista se propusiera arcaizar, sólo cabe interpretar que el tal vocablo aleteaba por su mente sin control, y, en pleno despeñamiento, se le agarró al vecino pero distinto *animoso* ('que tiene ánimo y valor').

Mientras concluyo estas columnas, mi fax echa su primer capullo primaveral: es publicidad. ¿Por qué no se prohíbe este abuso, pues la paga —en rollo de imprimir—

quien la recibe? Y ¿por qué han de ser provocativos sus textos? Esta flor de papel que me han metido al despacho no cautiva: ofrece el viejo *buzoneo*, ya saben, llenarnos el buzón de basura, pero también *parabriseado*, ponernos anuncios en el parabrisas. Un asco.

Para nada

Basta asomarse a un periódico para ver que la inmigración está trayendo abundantes jaquecas. Como ésta: con muchos africanos ha llegado a España el rito de la clitoridectomía. Ya se sabe, poner salvajemente a las mujeres en el trance de exclamar con Jorge Manrique, «¡Cuán presto se va el placer!», si ya lo han acordado; y si no lo han acordado, tristes por no haber comprobado en carne propia si da dolor o no. Es asunto que no debe tomarse a la ligera: hay que alzar sin contemplaciones nuestra ley frente al cuchillo cercenador. Y como todo mal deja huella en el lenguaje, ya tenemos una palabra nueva: la radio —aún no la he leído— habla de mujeres *ablacionadas;* si hay hombres *capados,* ¿por qué negar el participio al otro sexo?

El desenfado con que se inventan palabras como ésa es uno de los rasgos más evidentes del español actual. Dada la recatada modestia de nuestra lengua, tales invenciones eran muy mal vistas en el pasado, pero ese pudor ha perecido ya con otros pudores antiguos. Aunque bien mirado, tampoco hay por qué amordazar a los traviesos: si exigimos libertad, que hablen como quieran. El *mandatario,* bien es sabido, era el elegido por el pueblo —o el dictador— para que gobierne, es decir, un

143

mandado para que mande. Más que traviesa se mostró una conocida comunicadora al decir: «Desde que *mandata* Bush...»; no recuerdo qué *mandataba*, pero ella se divirtió haciendo una higa al diccionario, y arrebatando al pueblo yanqui la potestad de *mandatar* para entregársela a Bush. ¿En quién mandata el gran mandón, si ya no tiene a quién? Por lo pronto, ella y otros han convertido *mandatar* en un suplente con más amplia hechura —los exiguos de idioma optan siempre por lo más largo— de *mandar*.

Este gracejo contagia también su alegría a la gramática. Una de esas noticias macabras, que tanto gustan a los medios sin excepción —ábrase el televisor durante la comida para comprobarlo— rezaba así en un diario del mes pasado: «Un podólogo *degolla* a su empleada porque quería despedirse», en la que, aparte su ambigüedad, aparece ese lindo *degolla* —igual que de *arrollar* decimos *arrolla*—, y que tanto satisfará a los analogistas profesos. El hallazgo abre el camino a una insurgencia digna de César: ¡mueran los verbos irregulares! Pero no triunfará sin grave oposición de quienes se empeñan en hacer usos desinhibidos de la gramática, y va por el mundo de anomalista. Como esa otra gentil presentadora de un celebrado concurso televisivo, que, sin perder su encantadora sonrisa, decía hace poco a unos concursantes: «*Lleváis consigo* 33 puntos». Se rebelaba así contra esa lacerante obligación que impide concordar la segunda persona *(lleváis)* con la tercera *(consigo)*. No sé, en cambio, si hubo desvío en quien, transmitiendo por televisión una corrida de la Maestranza, justificó un mal par de un peón de Jesulín «por su *envergadura* reducida». ¿Es que el peón tiene cortos los brazos?; si es así, el comentarista habría acertado, y el banderillero tendría mucho mérito por osar serlo. Pero si se limitaba a ser bajito, esa *envergadura* constituía sólo la millonésima proclamación del disparate.

Sin embargo, una de las novedades más rápidamente implantadas por nosotros ha sido ésta: «¿Tú crees que se irá por fin ese señor?». «*¡Para nada!*». Esta ingeniosa negación habita, me parece, entre gente con un punto más de finura que el común, el cual sigue respondiendo *no* o *quiá*, si habla por lo breve, o, si se pone enérgico, optando por *ni hablar, de ninguna manera, ni mucho menos, de ningún modo, que te crees tú eso* y expresiones así; se exceptúa algún viejo que en sus tiempos estudió latín, y que será capaz de responder, a lo humanista, *nequaquam*.

La génesis de esta invención parece clara: apareció como simple refuerzo al igual que otras formas de negar; de «No lo temo *en absoluto*», este rotundo apéndice se autodeterminó, se independizó y pasó a ser un soberano y rotundo *no*: «Lo temes». «*En absoluto*». Eso mismo ocurrió con este *para nada* de hace pocos años, a través de fases, como las siguientes, que partían de un depauperado sentido final originario, y que ha llegado a extinguirse del todo: «No la dejan salir *para nada*», «Con esto no tengo *para nada*», «Su enfado no le sirvió *para nada*», «En la reunión, *para nada* intervendrán los ministros», «No cuento *para nada*», «Ese individuo no me gusta *para nada*», etc. Pero María del Monte, en 1990, rechazaba el infundio de que en el Rocío sólo hubiera borracheras; por el contrario, lo que hay, decía, es mucha devoción. Sin embargo, le parecían mal unas vallas que ponían para retener a los romeros: «A mí, no me gustan *para nada*», sentenciaba, sin el más remoto sentido final. Por entonces, en ámbito artístico bien diferente, un personaje de la admirable Paloma Pedrero preguntaba a otro si le estaba dando la tabarra; y éste contestaba: «No, *para nada*». Era ya el paso decisivo: el significado de *no* había invadido el de *para nada*; y la ablación del *no*, hoy tan en auge, vendría a poner un punto de exquisitez a la energía.

Gusta proclamar alguna vez una noticia buena: parece que el idioma jurídico, tan amojamado y mustio hasta ahora, va a recibir un enérgico tratamiento rejuvenecedor para hacerlo más claro y elegante. Así lo declara en su exposición de motivos la Ley de Enjuiciamiento Civil del año 2000, donde dice: «En otro orden de cosas, la Ley procura utilizar un lenguaje que, ajustándose a las exigencias ineludibles de la técnica jurídica, resulte más *asequible* para cualquier ciudadano». Para ello, sigue, va a «mantener diversidades expresivas para las mismas realidades». Y ejemplifica ese recién nacido desparpajo anunciando que se dispone a utilizar como sinónimas las palabras *juicio* y *proceso*, y que va a usar indistintamente *pretensión* y *pretensiones*, y *acción* y *acciones*. Sólo menciona estas audacias, pero hay más, muchas más. Así, en el párrafo citado, que comienza con el tópico periodístico, sonrojante en una Ley, *En otro orden de cosas*, utiliza *asequibles* por *accesibles*, solemnizando tan disparatada sinonimia.

Hay otras muchísimas audacias conspiradoras contra la ley del idioma, que tantos legistas no respetan para nada, y que es más antigua y universal que la de Enjuiciamiento. De contar con paciencia para leer la prosa de ese indigestible texto, saldría disparado un dardo. De momento, ahí va un ejemplo de la claridad que de sí mismo proclama este aborto de las Cortes: «Esta realidad, mencionada mediante la referencia a los consumidores y usuarios, recibe en esta Ley una respuesta tributaria e instrumental de lo que disponen y puedan disponer en el futuro las normas sustantivas acerca del punto, controvertido y difícil, de la concreta tutela que, a través de las aludidas entidades, se quiera otorgar a los derechos e intereses de los consumidores y usuarios en cuanto colectividades». Olé.

Desde el proscenio

La primavera se me ha despedido con el enfado de un catedrático de Derecho a quien ha molestado mi crítica al lenguaje de la Ley de Enjuiciamiento Civil. A juzgar por su irritación, ni el autor material de ese texto, para cuyo entendimiento, asegura, hacen falta saberes jurídicos, pondría tanta energía en su defensa.

Según dicen, el desconocimiento de la ley no exime de su cumplimiento, pero, ¿cómo vamos a cumplirla los profanos en tales saberes si no la entendemos? Porque no sólo se legisla para abogados: creo que alguna caridad merecemos los ciudadanos para no correr el riesgo de que nos enchironen estando in albis.

Decía yo que el abstruso texto *solemniza* la «disparatada sinonimia» de *asequible* y *accesible.* Me refuta su defensor aduciendo cómo la sanciona el diccionario de María Moliner. Añadiré a su favor que también lo hace el de Manuel Seco, pero ambos diccionarios son «de uso», esto es, tienen como objetivo descifrar lo que se dice ahora. Los hay, sin embargo, que tienen como finalidad advertir de los usos tuertos. Así, el de la Academia, que reserva a *asequible* su significado etimológico de 'que puede conseguirse o alcanzarse', mientras dice de *accesible* que califica lo 'de fácil comprensión, inteligible'. Éste es, pues, el adjetivo que debiera utilizar la Ley enjuiciada, y no *asequible*, cuando afirma que «procura utilizar un lenguaje que, ajustándose a las exigencias ineludibles de la técnica jurídica, resulte más *asequible* para cualquier ciudadano».

Dado que mi discrepante se acoge a diccionarios, ahí va esta advertencia del *Clave* (1996), a propósito de *asequible:* «Distíngase de *accesible:* ... que es de fácil comprensión»; y, al tratar de *accesible*, previene que no debe confundirse con *asequible*, ya que significa «fácil de conseguir o de alcanzar». Pero un texto aún más reciente, el *Diccionario de español urgente* (2000) de la Agencia Efe, puntualiza: «Los términos *asequible* y *accesible* no son sinónimos y por tanto no deben usarse indistintamente»; a ambos les asigna los sentidos diferentes que vamos viendo. Aún más, el *Libro de estilo* de *El País* avisa a propósito de *asequible:* «No es sinónimo de *accesible*».

Pues claro que esa sinonimia se produce en el uso vulgar, no es reciente y aparece en escritos más o menos literarios; igualmente, *escuchar* se emplea masivamente por *oír,* o *envergadura* por *corpulencia:* el uso confunde esos vocablos, y un diccionario de uso como el de Seco no tiene más opción que registrarlos. Pero ello no autoriza a que una Ley beatifique la pérdida de precisión expresiva que ocasionan tan irreflexivas sinonimias. No necesitan ayuda para triunfar, por su vulgaridad, y el Diccionario académico acabará entrándolas bajo palio. Actúan ahí las dos fuerzas que pugnan en el vivir de las lenguas, bien definidas por Saussure: la centrípeta, opuesta a los cambios, y la centrífuga, que normalmente prescinde de las perfecciones alcanzadas por los hablantes con el paso de los siglos, y las reduce o elimina, tal como ocurre en el caso de las toscas equivalencias señaladas. Resulta forzoso innovar en el idioma para vivir con nuestro tiempo; pero debemos esforzarnos —la escuela, la universidad, las academias, los parlamentos— por evitar que se nos hagan más indistintos los conceptos y más chicos los cerebros.

No debiera ser la primavera estación de sustos pero, rematándola, está el fin del plazo para apoquinar el tributo al César, en cuyas vísperas me ha venido un escrito del banco donde hace tiempo menguan mis ahorros; en él se somete a mi firma la siguiente declaración: «Por la presente, y habiendo recibido al menos la primera comunicación con el Informe Trimestral de el/los Fondos de Inversión de los que soy primer titular, renuncio a la recepción de los mismos, a partir de la fecha abajo indicada». Se me estremeció el encéfalo: ¿me proponía aquel escrito que dejara a beneficio del banco el resto de cuanto me queda? Porque esos *mismos,* así, en plural, sólo pueden remitir gramaticalmente al antecedente *fondos:* a ellos se me invita a renunciar. Hube de esperar a la noche, cuando ya cualquier programa de televisión me ha dejado algo gagá, para que mi mente conectara con el escrito y comprendiera que sólo se me pide decir no al envío de aquellos informes. Hace años que exhorto a los bancos a contratar filólogos de guardia para evitar, por ejemplo en este caso, la proliferación caribeña de mayúsculas en sus escritos, el empleo de la barra en *el / los fondos,* y que a esta doble posibilidad se refiera luego *de los* que soy titular, menospreciando el singular. Si los bancos y el Parlamento se cartelizan (¡nuevo verbo a la vista!) para arruinar el idioma, vayamos eligiendo cueva.

Por fortuna, el fútbol siempre aporta a las vidas nuestras mucha consolación. Nadie podrá arrebatar a los españoles el orgullo democrático de que, en las últimas jornadas de la Copa del Rey, hayan contendido, junto a dos primeras irrefutables, un equipo agarrado desesperadamente al último eslabón de la división de oro, mi atribulado Zaragoza, y otro que lo tuvo al alcance de la mano y se le escurrió (*eheu te miserum!*, Atlético). Y luego está la alegría que, en sus oyentes, desencadenan radios y televisiones. Así, en el último partido de esta temporada en La Romareda, donde pudo admirarse a mi equipo (cada uno tiene ahora un equipo como, antes, una religión) dando la cara con victoriosa arrogancia, un locutor (muchos ya están cartelizados con el mencionado cártel) advirtió que los *lugareños* estaban pasando calor; se refería a 'los del lugar', esto es, a los jugadores del Zaragoza, los cuales, como nadie ignora, proceden de Croacia, de Guinea, de Paraguay...: de todo el mapa y color. Es un equipo tan cosmopolita como los demás, y llamar *lugareños* a esos magníficos maños es tanto como convertir Nueva York en aldeorrio.

(No se pierdan, por cierto, cómo están acentuando los informadores *epizootía*, es decir, igual que *tía*, la epidemia de nuestros pobres cerdos).

Tengo anotada otra congoja a propósito de algo tan macabro como es la reciente ejecución de un terrorista en Norteamérica. Varios medios han llamado reiteradamente *cadalso* a la camilla donde, con la mayor asepsia, se despacha al condenado. Cuando era imposible suponer que existía un ente escolarizado ignorante de que el *cadalso* era el tablado de madera donde se ejecutaba la pena de muerte, he aquí que alguien, tal vez esgrimiendo en la mano un título universitario, se adelanta al proscenio y desafía: «Pues yo llamo *cadalso* a la camilla; ¿pasa algo?».

Lenguaje ortopédico

Hay tonterías que gustan mucho, y que distraen del desconsuelo a que conduce el eclipse veraniego de radios y televisiones; porque entre sus gobernantes se ha implantado la idea de que el estío del calendario conduce a la sequía de los cerebros, y de que seremos incapaces de absorber la carga mental con que nos ponen a prueba durante la temporada. ¿Quién, con este calor —deben de pensar—, podría celebrar como merece el humor de esos dos cómicos que, vestidos casi siempre de mujeres con moño y presunto olor a chotuno, fluye desde TVE apenas asoma el otoño? Por sólo poner un ejemplo, si bien desgarrador, de las carencias culturales a que *nuestros audiovisuales* —puesto que los pagamos— nos someten siempre en este par de meses.

Por fortuna, el lenguaje no deja de peregrinar por las ondas, y de hacer estación —nunca de penitencia— en los medios escritos. Entre las cosas más entretenidas figuran los tópicos; así, ahora que millones de ciudadanos huyen por las carreteras a lugares de donde pronto querrán huir, se dice que marchan a gozar de *unas bien merecidas vacaciones*. Ya hace años me fijé en esta sandez, pero ahí sigue, sin que a sus usuarios se les haya pasado por la cabeza que a más de uno de esos fugitivos habría que obligarles a dar algún golpe (o un palo al agua, como ahora se dice donosamente).

Pocas cosas hay más útiles que los tópicos: dan la idea acuñada, sin haber hecho el esfuerzo de troquelarla; circula como la buena moneda (es decir, el euro), que no va de mano en mano, porque «to' er mundo se la quea». Nada más desgarrador que la avaricia de una enorme masa de hablantes para apropiarse de lo mostrenco, que, tal vez, tuvo gracia u originalidad en el momento de su invención. Después, repetido como una señal de modernidad, es sólo una ortopedia que ahorra el esfuerzo de hablar por cuenta propia. Hay, incluso, alguna trivialidad de este tipo que ha sido elevada al altar de la ley, como ya vimos en la de Enjuiciamiento Civil, que salta de un párrafo a otro con la liana *en otro orden de cosas*.

Algunos de estos inventos sustitutivos que absuelven del esfuerzo de buscar y de hallar tienen gracia originaria; así, fue buena la decisión que se tomó en francés, alrededor del año 1959, de crear una metáfora extrayéndola del semáforo: «donner le feu vert» o «feu rouge», para significar que algo ha sido autorizado o denegado, y que puede continuar o debe detenerse. En español se adoptó el término *semáforo* a mediados del siglo XIX, con sólo su inicial significado de señal marítima, común en las restantes lenguas europeas, pero, en su acepción de 'señal luminosa para regular el tráfico', no entró, como es lógico, hasta la instalación de estos torturantes aparatos, cuyo nombre no registra la Academia hasta 1971. Sin embargo, nuestros oteadores dieron pronto con la locución francesa, y *dar luz verde* o *dar luz roja* pasó, vía medios de comunicación, a un estrato de lengua semiculto; es poco probable que uno de nuestros pequeños y sufridos ganaderos diga que el Gobierno va a dar pronto *luz verde* al vacuno, pero es seguro que sí lo dirá un Subsecretario, si no un Ministro. Y que lo endilgarán a sus medios respectivos los dóciles asiduos a sus ruedas de prensa. He recordado algunas veces la maravillosa respuesta del último rey portugués, Manuel II, cuando, habiendo preguntado el nombre del embajador hispano que había de recibir aquella mañana, el pudoroso ayuda de cámara no se atrevía a decírselo. Por fin, ante la insistencia del monarca, acaba cediendo: «No sé si debo, Majestad, pero se llama Raúl Porras y Porras». Estos sustantivos nombran en portugués lo que cabe imaginar. El rey, con una mueca de elegante contrariedad, se limitó a comentar: «O que chateia (= lo que molesta) e a insistència». Eso es lo que ocurre con el tópico en la expresión.

Considero, sin embargo, minúsculas bagatelas las trampas expresivas mencionadas en comparación con la tremenda memez que suele ponerse como remate o epifonema a la información de algo que, de seguro, va a suscitar controversia. Por ejemplo, que el Príncipe quiere casarse con una señorita de sangre roja; un prohombre ha dicho que le parece mal, que la novia debería ser de prez y de casta; una diputada le ha saltado al cuello alegando que las cosas del corazón no se deciden con análisis genealógicos. El asunto es grave: ¿se debe acudir a la hemostasia sentimental para detener la hemorragia?; o ¿debe permitirse que el flujo amoroso corra y mane a ojos vistas? Y el informador remata el relato diciendo sentenciosamente: *La polémica está servida*, igual que anunciaría un mayordomo la cena. Da lo mismo un asunto u otro; en cualquier caso, y siempre que el hecho produzca diversidad de opiniones, *la polémica* estará *servida*. En quienes se expresan así, no cabe mayor resignación del orgullo de ser ellos mismos.

Entre tanto, una vieja palabra nuestra se ha visto enriquecida con un ensanchamiento que, en mi opinión, mejora notablemente nuestra visión del mundo. Desde hace pocos años, los jugadores y los toreros aseguran en sus declaraciones que *disfrutan* mucho en el estadio o en la plaza. Desaparece así de nuestra compasión la inquietud que causaba verlos afanados en quedar bien y en no arriesgar tibia o femoral: ya sabemos que están disfrutando a fondo, y no podemos hacer otra cosa que envidiarlos por lo bien que lo pasan. No es que *disfrutar* sea un dislate: desde el siglo XVIII, además de recoger el fruto, significa 'gozar'. Pero no parece que el disfrute sea compatible con el temor a errar, siempre presente en esos oficios. Quien lo hace bien puede sentirse electrizado, dueño del mundo, poseedor de una fuerza casi erótica; pero el Diccionario académico, normalmente tan sensato, da a *disfrutar* el significado de «sentir placer, experimentar suaves y gratas emociones». Es impensable que esto ocurra a un as del volapié o de la chilena. Seguro que un entrenador antiguo no sacaba el equipo al campo a que experimentara emociones suaves y gratas. Ni que al torero, cuando sale a recoger el toro, le dijera un peón, con la gravedad que impone la montera calada hasta las cejas: «¡Que lo disfrute, maestro!». Ahora sí; y hasta es posible que el público, si no disfruta, mande a unos y otros a la porra de antes.

Retrato de familia

Primero fueron los reyes y próceres, que podían pagarse un pintor para que les hiciera un goya a ellos con su mujer y la prole. Vino después el fotógrafo trotamundos, con el cajón milagroso por la ferias, del cual salía una avecilla espantada por el magnesio; aquel susto permitía plasmar en cartulina al severo labriego o al comerciante que podía permitirse tal plasmación, sentado en medio, erguido el talle, leontina al vientre, la mujer de pie y toda su camada alrededor. Se consagraba así el retrato de familia pudiente, destinado al ocre. Los japoneses vinieron al fin, el arte fotográfico se popularizó y todo el mundo tiene, entre infinitas, algunas instantáneas con su parentela hechas en el bautizo del bebé o en la boda de la niña poco antes de divorciarse. Nadie o casi nadie llama ya a eso *retrato* o *foto de familia*. Ahora se llama retrato o foto de familia al que es sin familia: ciudadanos diversos con algo en común se han reunido a la voz de ¡los fotógrafos esperan!, y se han precipitado hacia unas gradillas *ad hoc*, para posar como azores en alcándara o vencejos en alero, hombro con hombro, egregio junto a egregio, y salir en la foto llamada *de familia*. Muchas veces, la reunión ha sido a cara de perro, pero, cuando menos, le sirve al retratado como testimonio de haber estado allí. Lo cual

EL NUEVO DARDO EN LA PALABRA

puede aportar algún voto a los políticos, y nostalgia a quienes estudiaron juntos hace ya que ni se sabe. Es admirable y didáctico presenciar en vivo y en directo, como transmitido por televisión, un cambio semántico así, es decir, la muerte total y el nacimiento simultáneos de significados en una palabra. Lo cual no mueve a lamento, como ocurrió con *oír* o con *acabar*, asesinados en poco tiempo por los medios audiovisuales.

Esos últimos matices que permiten distinguir significaciones próximas pero no iguales son los que están desapareciendo apresuradamente y dejando nuestro idioma en pura raspa: lo hemos señalado muchas veces. No hace mucho, me contó una hija mía que se *había muerto de la risa* por no sé qué; sin embargo, estaba bien viva ante mí, y tuve que reprenderla por decir aquello delante de sus hijos. Pero, de repente, por las ondas sobre todo, he oído cien veces ese horrorcillo, que extingue la distinción, por ejemplo, entre *morirse de rabia* y *morirse de la rabia*, *morirse de cansancio* y *morirse del cansancio*, *morirse de pena* y *morirse de la pena*, donde, sin artículo, la expresión tiene un simple sentido ponderativo o hiperbólico. Con el artículo, significa literalmente 'palmarla'. Como es natural, el Diccionario sólo da visado a *morirse de risa*, locución que la Academia, con su habitual desparpajo, identifica con *mearse de risa*. Pruébese a meter aquí el artículo, y se verá cómo ello produce un rubor íntimo y húmedo a quien se ríe.

Nadie que escribe en la prensa o soliloquia en los audiovisuales emplea el idioma con impunidad: son muchos los comunicadores que sufren tundas diversas, con cartas al director o a otras personas, por ejemplo, dentro de la modestia, a mí. No siempre son justas las quejas, pero casi siempre son punzantes; no lo es una, singularmente gentil, recibida de París, en que se me pide que, «sin delatar a sus autores», corrija públicamente un grave error. El supuesto tropezón es un titular de prensa que reza así: «Veteranos del Golfo enfermos *advierten de que* la historia se repite en los Balcanes». Pero no hay error, y no estará solo ese lector en tal creencia: son muchos los convencidos de que *advertir de + que* constituye siempre un caso de dequeísmo. Y no es así; de los numerosos ejemplos que aporta el gran Diccionario de Cuervo, elijo éste de Martínez de la Rosa por su brevedad: «Llegó un criado que le advierte de que vive». Los hay bastante más antiguos y más largos, que absuelven de sospecha al titulador: simplemente, ha apelado a una vieja sutileza de aquellas que, como decíamos, daban a los hablantes más cartas en el juego del lenguaje. En efecto, *advierten de que + oración* llama la atención sólo sobre ésta, es decir, sobre la advertencia; en cambio, *advierten que*, podría significar 'dan cuenta' o 'avisan', orientando igualmente hacia la advertencia, pero también que ellos, los veteranos, 'se dan cuenta de que la historia se repite en los Balcanes'. El periódico quería conducir la atención sobre el aviso, y no sobre quienes advierten. No hay, pues, dequeísmo en el rótulo, sino algo que llaman los gramáticos un complemento regido.

Siguiendo con periódicos en la mano, no es difícil toparse abundantemente con tropelías de este tipo: *Zapatero declaró que «queremos dar un paso más»*. Véase cómo están dislocadas las comillas propias del estilo directo, el cual tendría que haber sido reproducido así: *Zapatero declaró: «Queremos dar un paso más»)*. Pero el escribidor al preferir el indirecto, le ha torcido el pie al verbo, con esguince de modo y persona; una vez sana, esa frase se escribiría de esta manera: *Zapatero declaró que querían dar un paso más*.

Emplear juntos el *que* y las comillas puede provocar muertos de la risa.

Es muy poco probable, sin embargo, tal suceso, ya que el siguiente titular de un diario madrileño no ha producido ninguna catástrofe: *Mariano Rajoy ha dicho que «si somos objeto de ataques por Liaño, nos defenderemos»*. Al seguir leyendo se advertirá que el Gobierno no teme ser objeto de embestidas por parte del señor Liaño, sino que está dispuesto a dar estopa si lo atacan por el indulto del ex juez. Brillante combinación, pues, de comillas extravagantes y sintaxis de molusco.

Pero, en fin, dejemos aparte la prensa y encendamos la televisión: ¿qué oímos? Está comenzando el diario hablado y su presentador vuelca atentados, accidentes, vacas locas, violencias de sexo, terremotos, necedades de la ministra...: la costumbre. Pero, de pronto, salta magnífico lo extraordinario: se acaba de decir que mil kilos de hachís han sido puestos *a recaudo de la Guardia Civil*. Por los sesos del oyente atento brotan de pronto chispas de entusiasmo: ya no se dice *a buen recaudo*, que antes significaba 'a salvo de una amenaza, en lugar seguro', y la mente, así encendida, goza pensando que aquella droga se ha salvado de las asechanzas de los guardias. Pero ¿qué español aprenden nuestros licenciados? (¿Y qué francés? El presentador de un concurso muy popular y visto —el concurso y el presentador— ofrece a diario su desdén por él y por otros idiomas. En una pregunta tuvo que nombrar a Proudhon, pero lo convirtió en *Práudon* o algo así, que quería ser inglés, y que hacía anglo al famoso anarquista galo; lo cual no sólo mostraba desprecio por la lengua francesa, sino por una cultura de un grado inferior a la general). Decididamente, la familia hispanohablante sale bastante mal en el retrato.

Sin paliativos

La aún no lejana victoria de Manuel Fraga en las elecciones gallegas causó lógica alegría entre sus partidarios. ¿Qué diré alegría? Alborozo, enardecimiento serían palabras más justas, o exultación. Y no es para menos: repetir a su edad un triunfo político semejante también a mí me enardece, no por afinidad política sino por la edad. Siendo nada menos que un año más joven que él, su suerte me permite creer que todo es aún posible. Y por más que la solicitud de mi esposa me haya frenado la inscripción en un club de atletismo, no ha podido evitar que ande por casa en chándal.

Pues bien, un artículo alumbrado por un rotativo de la Corte proclamaba al día siguiente del evento: «Una victoria sin *paliativos*». Con temblor en las manos abrí el Diccionario, por si se trataba de una reacción airada contra el dictamen de las urnas, ya que, a mi entender, aquel titular decía literalmente que aquella victoria era catastrófica y sin remedio. Pero no: quería proclamar lo contrario. Ocurre que *paliativo*, según define el infolio y entendemos la mayoría abrumadora de los hispanos, sirve para designar algo que suaviza o lenifica, y se dice especialmente de los remedios aplicados a 'las enfermedades incurables para mitigar su violencia y refrenar su rapidez'. Según el titular del susodicho artículo adicto, no hay, pues, nada capaz de curar, dulcificar, aplacar o amortiguar aquella victoria. ¿Merecía el triunfo del señor Fraga que lo motejaran como a una enfermedad sin remedio? Parece demasiado fuerte, incluso en el español montaraz que se usa para hacer política o contarla. Y pues no cabe atribuir mala voluntad al titulador, interpretamos que, simplemente, deseaba resaltar cómo el triunfo electoral del señor Fraga fue *inobjetable*. Pero lo dijo lanzándose al acogedor vacío de la sandez: sólo las derrotas y otras cosas pésimas pueden carecer de paliativos.

En tan sandio abismo ha asentado sus pies, con escasa probabilidad de que los alce, eso de *cargos electos*. Desde el senador al concejal, y rebasándolos por arriba o por abajo, resulta que todos los cargos ganados por elección son ahora *cargos electos;* así se les denomina constantemente y, como vistoso airón (trágico en demasiados casos), tal título ostentan los nombrados de ese modo. Ninguno de ellos, hombre o mujer, protesta alegando que ya no es *electo*. Tal vocablo, todo el mundo lo sabe, es participio de *elegir*, asignado secularmente a la 'persona elegida o nombrada para una dignidad, empleo, etc., *mientras no toma posesión*'. Éste es el malvado busilis de la palabra, que se esconde a la agudeza de quienes tratan de esas cosas; el concejal, el alcalde, el diputado y demás agraciados —o desgraciados— por los votos dejan de ser *electos* en cuanto toman posesión, esto es, apenas entran en nómina. Desde entonces son concejales, diputados o alcaldes a secas, lo cual es mucho más que ser novicios. Si precisan acogerlos a todos bajo un sustantivo, bastaría con hablar de los *cargos* de tal o cual partido, porque ese vocablo, además de nombrar una dignidad o empleo, designa también a la 'persona que lo desempeña'.

No es infrecuente que ellos mismos, a los cargos me refiero, traten el idioma como a un pelotón, a puro puntapié, más agudo cuando procede del zapato de damas. Así, esta concejal —me acojo al permiso concedido por el nuevo Diccionario para obviar *concejala*—, más aún, teniente de alcalde, y quién sabe si pronto aspirando a capitán, que anuncia por la radio cómo el Ayuntamiento va a patrocinar una serie de actos para «*conmemorar* el nuevo milenio». O bien pasma tan poca diligencia, porque el milenio ya dista de ser nuevo; o bien asombra la precipitación municipal, porque aún faltan casi noventa y nueve años para que pueda ser *conmemorado*, es decir, traído a la memoria. No hace falta conmemorar lo poco que hemos gastado de él: lo tenemos de cuerpo presente ante los ojos.

Ahora es un ministro de nuestro Gobierno quien se asoma a las pantallas de los cuartos de estar como nuncio de una gran noticia, no puedo recordar si agrícola, ganadera o de otro ramo. ¿Cuál es su introito? Éste: «Anticipo *de que* España...». Imposible seguir escuchando: chilla el televisor espoleado por el *de que* ministerial, e intento tranquilizarlo dejándolo a oscuras. Piedad inútil, porque apenas abre otra vez el ojo, se ve obligado a expeler el original fervorín de alguien, cargo también, que exhorta temerariamente a combatir el terrorismo «sin bajar la *retaguardia*», cuando parece evidente que más firme estará cuanto más posada.

Del mundo más oficial posible es lo de *distrito único* universitario, queriendo significar que, para ciertas cosas, todas las Universidades funcionan como si fueran una sola. Lo cual es chocante, pues *distrito* procede del latín *districtus*, participio de *distringere*, 'separar'. Y si se tiene en cuenta que nuestro nombre designó en épocas menos agrestes *cada una* de las demarcaciones en que un territorio se subdivide con diversos fines, mal puede significar la totalidad del territorio. Hacia 1986, cuando empezó a hablarse de este asunto, limitado entonces a las universidades de Madrid, se dijo de ellas que se agruparían «por primera vez aquel año, *como si* constituyesen un distrito único». Después se prescindió del *como si*, y se decretó la identidad de la tajada con el melón. Una metonimia reveladora sólo de cuánto ha dejado de ser sentido el idioma como parte del alma. Por cierto que también en ciertos países de América *distrito único* se aplica a la 'circunscripción electoral única'.

Pero no todo cuanto profieren los patricios es digno del saco roto. Desde el mismo lugar en que ahora gruño sobre el lenguaje oficial y político, se canonizó hace poco una novedad que abre al idioma esperanzadoras perspectivas. Un gran conocedor de este abatanado mundo discurría allí, es decir, aquí, sobre lo que llamaba «conflicto epidémico de los Balcanes». Y proseguía: «Desde la desaparición de la URSS, EE UU y la Unión Europea parecían capaces de *periferizar* o encapsular las crisis regionales». Extraordinario hallazgo el primero de esos verbos, que ahorra meandros para decir cómo se llegó a pensar inocentemente que las crisis balcánicas serían expulsadas del meollo europeo y remitidas a su rocoso pellejo. Es una delicada expresión barroca equivalente a las más dominicales de lanzar el balón fuera o congelarlo. El primero de esos verbos, casi nuevo, es útil de veras. Cuán dulce puede resultar esta súplica musitada: «Eso no, cariño. Sólo periferizar».

Ah, el idioma suplica a quien corresponda que sancione, expulsión incluida, a quien, ante un micrófono, siga hablando de catástrofes *humanitarias*; ahora, en Afganistán. Confundir *humanitario* con *humano* es catástrofe sin paliativos.

Talibanizando

Parece que, en la cancha del idioma, *los talibanes* están venciendo a *los talibán;* en cambio, *ben* apenas levanta más cabezas que hace un mes, y pierde incluso en casa. Hojeo ahora un viejo Webster en su edición colegial de 1957 y, buscando por los alrededores de ese vocablo, me topo con *ben* (no *bin);* lo define como 'hijo de', y pone como ejemplo el nombre del famoso tudelano Rabbi *Ben* Ezra, biblista, poeta y gramático. Era judío, pero su lengua está semíticamente emparentada con el árabe; recuérdense los aún próximos *Ben* Bella, argelino, y su rival *Ben* Jedda, o el marroquí *Ben* Barka, partidarios de Alá, junto a *Ben* Gurion, devoto de Jehová.

Pero los famosos islamistas cuentan con muchos fieles hispanos a su plural *taliban.* Estos leales tachan tal vez de ligereza la conversión de ese plural en singular, susceptible, por tanto, de recibir la marca española de plural. Y les escandaliza que el recién nacido Diccionario académico, en sus primeros balbuceos, no ataje *talibanes.* Olvidan tal vez que vocablo tan común como *hoja* es el plural latino *folia,* al que los castellanos hicieron singular, y repluralizaron diciendo *hojas* cuando les plugo. O que *nómina,* del también plural neutro *nomina,* 'lista de nombres', siguió el mismo camino.

Si vamos más al Este, el fenómeno se produce una y otra vez en español. Lo tenemos bien a mano en *musulmán*, nombre originario de Persia —informa el DRAE—, y que es el plural de *moslem* (o *muslim*, en árabe clásico), lo cual nada impidió, albarda sobre albarda, formar el plural *musulmanes* como había hecho su modelo el francés *musulmans*. En inglés mismo, ningún obstáculo se opuso a *mussulmans*. ¿Desentona tanto *talibanes?*

Historia semejante ocurre con *sarraceno:* llegado desde el plural latino *sarraceni*, se transformó en singular, se regularizó su género y nuestros antepasados ya pudieron decir *sarracenos*, olvidados de aquel extraño plural terminado en *-i*.

Y si acudimos al irrebatible testimonio de los ángeles, nos aguarda, por un lado, el *serafín*, que, desde el hebreo *serafim*, 'nobles príncipes', fue transformado en singular por las lenguas modernas al heredar *seraphim* de la latina. Por otro, el *querubín*, vehiculado también por el latín desde el hebreo plural *kêrubhim*, 'seres sobrenaturales'. Mi docto amigo don Valentín García Yebra adujo hace poco el testimonio de estas dos aladas criaturas celestes en apoyo de *talibanes*.

Indagando por los idiomas vecinos, topamos con el raro plural, también en *-i*, del italiano: hay varios casos en que ha sido tratado como si fuera singular, susceptible, por tanto, de recibir la *-s* de la Romania del Oeste. Preguntado de sopetón por un periodista en un coloquio sobre el porqué de *talibanes*, recordé sobre la marcha *los espaguetis*. Se ha comentado bastante. En la lengua hermana, el singular es *spaghetto;* pero esta forma no se expatrió: las lenguas romances, e incluso el inglés, acudieron voraces a los *spaghetti*, pero adoptando ese plural como singular, y redoblándolo al modo romance occidental con la *-s*.

Y aún tenemos, mínimos y jubilosos, los *confetis* españoles; también el francés se mostró poco respetuoso al forjar la oposición *confetti / confettis*, olvidada esa lengua, como la nuestra y otras más, de su origen italiano, *confetti*, que ya es plural.

Se me ha tildado de incoherencia, eso me dicen, porque hace doce años me estremecí cuando un periódico ponía en labios de Silvio Berlusconi esta frase entrecomillada: «Si el Madrid nos elimina, seré su mejor *tiffossi* en Barcelona». Y es que eso no puede decirlo un italiano (ni escribirlo: *tifosi*, plural de *tifoso*), y aún menos, siendo presidente del Milán y hoy de su país. Es, además, voz extranjera que sólo utilizan los iniciados como «tecnicismo» (se trata en realidad de un adorno, una «touche de glamour» usual en muchos comentaristas deportivos, que parecen no oír ni leer a sus colegas de allí; lo prueba cómo suelen pronunciar *maglia*, con *gl* de *glicerina*, mientras que *espagueti* y *confeti* son ya palabras españolas. Plurales son igualmente los *cannelloni* o *ravioli*, o *maccheroni* y otras pastas, que llegan a nuestros platos con el número gramatical en orden: *canelón / canelones*, y lo mismo *raviolis* y *macarrones*. Aguardan los *fettuccini* y los *tagliatelli*, pero ya los ofrecen algunos restaurantes —poco refinados, eso sí— con el apéndice bautismal de la *-s*.

Y por España y el mundo, ¿cómo andan aquellos belicosos afganos? Pues, como *bin / ben*, partidos por gala en dos. Abran *La Vanguardia* donde asoman *los talibán*; pero si se pasan a *Avui* verán brotar pronto los *talibanes*. En lo cual coincide con otros diarios como *El País* y *La Razón*. Los franceses parecen unánimes en la pareja *taliban / talibans*; por su parte, *Il Messaggero* distingue entre *talibano* y *talibani*; también el *Diario de Noticias* lisboeta se apunta a la pareja; y *La Nación* bonaerense.

No es cuestión trivial, aunque lo parezca: con la adopción de *talibán* como plural (y, para más inri, con un acento español), se acepta que nuestra lengua sea gobernada por leyes de otras, concediendo a esa palabra una excepción que no se concedió a ninguna otra en iguales o similares circunstancias. Sin embargo, un idioma, para su propia coherencia, perduración y unidad, precisa de la analogía aristotélica: siglos se pasaron los gramáticos discutiendo si es ella la que estructura las lenguas, o reina en ellas la anomalía. Parece claro que un sistema no puede mantenerse con ocurrentes excepciones. Ya hemos hecho nuestra una muy importante: la del plural en los neologismos o xenismos angloamericanos. Hubo un tiempo en que se hizo algo; por ejemplo, con *revólver* (del inglés *revolver)*, al que se pluralizó a la española, *revólveres* (aunque se intentó, Gómez de la Serna se apuntó al intento, *revolvers)*. Pero por los lejanos principios del siglo pasado ya habían llegado los *boers* (a pesar de la coplilla argentina que empieza: «Ya vienen los *boeres*, / ¡Vidalilá! vienen los ingleses»). Y más tarde, el aluvión de los *stops*, *los spots*, *los slips*, *los records*, *los sprinters*, *los handicaps* y demás. Excepción son los *clubes* (forma documentada en Colombia a fines del XIX), que parecen imponerse sobre los *clubs;* y eso que este crudo anglicismo contó desde ese mismo siglo con el apoyo de pioneros europeizantes como Miñano, Espronceda, Modesto Lafuente o Emilia Pardo Bazán. Pero si se nos va haciendo el gusto a aquel plural hispanizado, serían perfectamente intragables *estopes, recordes, handicapes*, etc., porque está obrando imparable en español una adición a la regla: para formar el plural de palabras anglosajonas acabadas en consonante, se añade *-s*. Pero no a *talibán*, que es aceite en el agua de lo yanqui. A ver si no la talibanizamos. A la Gramática, se entiende.

Ya inventamos

Contaba Pedro Laín que Baroja gruñía contra una inscripción que ornaba el friso del entonces Museo de Reproducciones Artísticas, cuyo autor, creo, era Eugenio D'Ors; en ella se sentenciaba: «Lo que no es tradición es plagio». El novelista confesaba que, hasta hacía poco, no lograba entender tal aserción, pero se le habían borrado o caído algunas letras, y ahora se podía leer: «Lo que es adición es agio»; así ya la comprendía. *Agio*, esto es, especulación abusiva, obtención de beneficios a poca costa. ¿Son agiotistas de lenguaje quienes hoy «enriquecen» su idioma, y a veces el de los demás, sin apretarse una sola neurona, adicionando palabras o giros tal cual, con su ton y su son, o forjando gilipolleces? (Sobre este término, consúltese el Diccionario académico). El caso es que, además de hacer las rutinarias rapiñas superfluas, algunos hablantes públicos se han puesto a inventar vocablos, giros y acepciones, lo cual nos redime de aquel desdén unamuniano tan cutre de «que inventen ellos».

Primero, los saqueos que modernizan nuestra lengua. A modo de ejemplo señalo el de la presentadora de un programa con gente, esos donde tienen su día de efímera gloria los vecinos o vecinas simplemente municipales —una de las infamias mayores de la televisión; a los

171

programas con tanta perversidad mental, me refiero, no al vecindario—, que da la palabra a un señor mayor, el cual cuenta que no tuvo madre porque murió al parirlo; y se le arrasan los ojos. Entonces la presentadora le sugiere con dulzura: «Vamos, no *sentimentalice*». Es decir, 'no se ponga sentimental'. ¿Raro? Pues el inglés posee *sentimentalize*, el francés *sentimentaliser*, el portugués *sentimentalizar*... ¿Para qué seguir? Vergüenza da que, en los comienzos del siglo XXI, pueda parecer ocioso a muchos ese verbo tan internacional. Lo cierto es que ya figuraba en el lenguaje de unos pocos doctos, como fue el filósofo García Bacca, y lo son algunos críticos de arte. Pero parecía impensable tanto allanamiento en su uso hasta que la gentil conductora de aquel programa lo lanzó con piedad al huérfano cuarentón, y dotó al vocablo de un simpático porte suburbial.

Pero, junto a quienes ensanchan el caudal comunicativo por este fácil sistema, están los o las que se inventan palabras con la misma impavidez que un churrero hace churros. El español ha sido menos proclive que otras lenguas a derivaciones del tipo *sentimental* > *sentimentalizar*. Pero se está empleando *vehiculizar*, que, en lenguaje culto y semiculto, prefieren muchos al plausible rodeo *servir como vehículo*, lo mismo de ideas que de proteínas. El uso de ese verbo es especialmente frecuente en el español de América, donde se documenta (Argentina, México...) desde los años sesenta. Junto a él, y a la vez, aparece *vehicular* (francés *véhiculer*). Tienen el éxito asegurado; parecen más elegantes y refinados que *transportar*.

Pero esta soltura con que otras lenguas europeas han formado derivados sensatos se ha extendido anárquicamente a muchos de nuestros comunicadores, que se en-

172

tregan a la forja de vocablos con la aludida naturalidad churrera. Esa famosa —da lo mismo cuál de ellas: son iguales y las mismas— a la que persiguen fotógrafos tratando de cazarla hasta en actos tan personales como son rascarse o limpiarse la moquita, protesta del acoso (esta vez, no lo cobra), alegando colérica que el derecho a la intimidad está *constitucionalizado*. (¿Se atreverá a *desconstitucionarlo* el arzobispo de Constantinopla?).

En otro programa, se recuerda que, frente al reconocimiento monárquico a ciudadanos eminentes mediante la concesión de títulos de nobleza, la República instituyó un sistema *premial*, es decir, de premios. El informador expelió aquello por la boca como si fuera un gas natural. He aquí ahora que un político ampliamente votado habla de *gradualizar* la evolución de las autonomías. No se entiende muy bien qué es eso, tal vez ir cediendo poco a poco y no de una vez, a buenas horas, potestades del Estado. Pero ese prohombre creyó que haber salido elegido en una lista electoral le otorga poder sobre el lenguaje (como ocurre al propio ministro de Justicia, a quien parece gustar lo de *punto y final*: eso está feo).

Otras invenciones son menos osadas y no de tanto mérito, como es lógico. Algunas, de puro viejas, no son ya inventos; un acre y popular radiofonista, al dar cuenta de la prensa del día, alude siempre a *la editorial* de tal o cual periódico, femenino que, antes, pertenecía a la casa editora; el artículo de fondo de los periódicos era indefectiblemente masculino. Un lío parecido sucede frecuentemente al llamar *especies* a las *especias*, esto es, al azafrán, al comino, al clavo... En ambos casos se produce una simplificación del idioma, tan útil para esa humanidad hispanohablante que, en creciente número, asoma por la primera rendija del siglo su joven y chato rostro (al que sobra un ojo para ser otra cosa, según acuñación de Quevedo). En este proceso, continúa incursionando imperialmente por los yermos del idioma el hidrópico *tema:* el comentarista de un partido de fútbol señala cómo el balón ronda junto a la meta y que, al fin, el cancerbero atrapa el *tema.*

Pero volvamos a las novedades absolutas como ahora se dice, entre las que cuento el verbo *transmitir,* intransitivo, tal como lo emplean los taurinos. Cuando el astado que va a morir es soso y embiste sin gracia y sin entusiasmo —lo que revela inteligencia que debiera ovacionarse si esa terrible fiesta de la sangre no fuera tan irracional—, se dice que *no transmite;* y al revés, *transmite* la res estúpida que acude al trapo con fanatismo. Sería en cambio muy normal que el verbo en cuestión se aplicase a personas, animales y cosas que incitan a vivir, que alborozan o alborotan el cuerpo y el alma, desde tal hermosa —o hermoso, según la perspectiva—, hasta un Ferrari, pasando por un bogavante de O Grove. ¡Ya lo creo que transmiten!

Concedo un lugar de lujo a otro descubrimiento que debe ser juzgado como excepcional, y que ha surgido de ese cocedero de novedades idiomáticas que es el deporte. Al igual que en todas filas, graduaciones o escalas, hay un último y, por tanto, un penúltimo. En las clasificaciones deportivas, es bien sabido, al que cierra la tabla se le da el poco piadoso nombre de *colista;* pero el que le precede ¿qué es? ¿Precolista? No, porque también anda por la cola. Y *cocolista,* simétrico del *colíder,* es la solución. ¡Con que inventen ellos!, ¿eh?

Novísimos

Descubrámonos ante el colmo de advenimientos que han acaecido entre la lombarda y el cotillón: acaban de arremeter contra nosotros todas las unidades de tiempo. Manuel Halcón se quitaba edad para ser un escritor del siglo XX, pero en diciembre, contrariando su voluntad, hemos celebrado su centenario en Sevilla. Somos muchos, en cambio, los afortunados que, sintiendo en la nuca el aliento acezante de ese siglo viejo, hemos escapado de él dejándole entre las uñas el sambenito de ser finiseculares que mi gran amigo quiso esconder: hoy llevaremos ya una semana de siglo XXI, que es otra categoría más excelsa.

Para esta situación fronteriza parece haberse inventado el adjetivo *novísimos* que, a ojo de diccionario, califica a lo muy último, y también a lo muy nuevo (sin olvidar las cosas enigmáticas que aguardan *post mortem* y que encierro en este paréntesis). De ese modo, un atuendo pudo ser llamado novísimo si se estrenó para la cena de san Silvestre, fecha en que el siglo viejo acaba, y también si el estreno aconteció en la fiesta de los Manolos, que es aurora del nuevo. Así cabe interpretar la paradoja del diccionario.

El idioma ha saltado a esta época de novísimos con bastantes desgarros de diciembre sin remendar. Están

175

todavía esas vacas locas, que nadie hubiera sospechado contemplando su manso ordeño. Pero, al parecer, ellas no constituyen la única amenaza: algún periódico ha hablado ya de *ganaderos vacunos* arruinados, y además, a juzgar por el adjetivo, sospechosos de Creutsfeldt-Jakob.

Tampoco se ha desvanecido el insulto que nos inflige el fatigado *Tireless* en Gibraltar. Ya vimos que para una porción de la prensa estaba *varado*, y no *atracado* que es como está ese sarpullido brotado en la misma ingle peninsular. Pero otra parte importante de la prensa informante asegura que el submarino está *encallado*, verbo que, o bien asegura que la nave ha chocado 'en arena o piedra, quedando en ellas sin movimiento'; o bien que, incapaz de salir a puerto, se ha empadronado en nuestras costas hecho un Chernobil potencial.

También durante estos días novísimos la publicidad televisiva se ha visto interrumpida algún momento con cosas «culturales». Apenas si se han notado, de imperceptibles que son; a cambio, ha resultado muy entretenido comparar tarifas telefónicas, y averiguar cuál es el perfume más varonil. Pero aun así, con algo se topa, y a lo dicho de los concursos el mes pasado podemos añadir esta pregunta: «¿Qué significa la expresión latina *sotto voce*»? El concursante, hurgando en sus firmes estudios humanísticos, no halló semejante cosa. Ya fuera de concurso, pudo oírse inesperadamente que *El trovador*, el modesto y famoso drama de García Gutiérrez, era una «gran novela histórica». Con un paso más, se le hace tango.

Pero estábamos en los novísimos, de los cuales ya adelantamos en nuestro último «dardo» del siglo pasado el de *violencia de género*, que tal vez merezca una nueva visita. Sea el primero del actual la *gobernabilidad*, masivamente presente en el español de América, y que aquí se me apareció por vez primera en los relatos sobre la reciente cumbre de Niza. Antes, ese término, predicado de alguien o de algo, sólo aludía a la posibilidad o precisión de que fueran obedientes a quien gobierna. Y así, se establecen acuerdos de gobernabilidad si son varios los aspirantes a gobernar.

Ya no se trata sólo de esto: el presidente Frei, en 1997, hablaba de otra cosa cuando «planteó como base de la Cumbre Iberoamericana la *gobernabilidad*, es decir, una democracia que responda a los problemas de sus ciudadanos, una democracia honesta y una democracia eficiente». Se trata de una acepción con menos de diez años de vigencia, engendrada a escote por los innumerables organismos internacionales que circundan el mundo, y acuñada en inglés como *governance*. Con tantos zoospermos en su sangre, nada debe extrañar que su significado sea un tanto ambiguo. Según el Banco Mundial, la *governance* es 'el modo como se ejerce el poder en la gestión económica de un territorio y de los recursos para su desarrollo'. Pero hoy, según leo, no quiere ser sólo simple gestión del sector público, y muchos la conciben como la 'capacidad de una sociedad para trazar y lograr objetivos'; sus agentes no son los gobiernos sino las sociedades, tanto nacionales como internacionales. De ahí, su imprescindible carácter democrático.

Sería inútil intentar mayor precisión: hay más definiciones y matizaciones que pelos en un *hippy*. Y aún vino a complicar más las cosas el nacimiento de *governability* como sinónimo de *good governance*. Los funcionarios de habla hispana intentaron diversas traducciones de esos términos (*gestión pública, buen gobierno, gobernabili-*

dad participativa, y varias más), aunque los más potentes lanzaron *gobernabilidad* a secas, versión «conscientemente problemática», según uno de ellos, pero triunfante, por ahora, como nombre de la esquiva noción. Y he aquí que, en la última Cumbre de Estados Americanos, nuestro gobierno signó sin rechistar lo de *gobernabilidad*, añadiendo a la firma la acostumbrada higa cuando se trata oficialmente de asuntos idiomáticos. Porque diversos traductores habían caído ya en la cuenta de que el español disponía del galicismo medieval *gobernanza*, pariente visual cercana de *governance* y del francés *gouvernance*. El término se ha ido abriendo paso en los últimos meses. Entre otros lugares, aparece en la traducción oficial de la resolución de 18 de diciembre de 2000 del *Committee of the Regions;* de *gobernanza* habla exclusivamente la Organización Mundial de la Salud. Carlos Fuentes, en septiembre pasado, hablaría de *gobernancia* ante el Senado de México, pero en febrero había empleado *gobernanza*.

Ante tal caos, la Academia ha acogido el último vocablo, y, en el Diccionario remitirá a él *gobernabilidad:* es el modo de expresar su preferencia por el primero. Pero el triunfo de *gobernanza* será difícil: la América hispana habla casi constantemente de *gobernabilidad;* en portugués, se enfrentan, como en español, *governança* y *gobernabilidade;* en francés domina *gouvernance*, pero no desconoce *gouvernabilité*, incluso en títulos de libros; y en italiano *governabililità* es casi exclusivo, y en catalán abunda *governabilitat*.

Creo que la apuesta académica por *gobernanza* es sensata; por una parte, nos aproxima gráficamente al inglés *governance*, donde se ha forjado el concepto; nos acerca también al francés y al portugués. Y por otro lado, conjura la confusión entre dos significaciones diversas de *go-bernabilidad:* la que espera Ibarreche para seguir mandando, y la que nombra cosas muy hermosas, propias de este día aún epifánico.

2002

Epifanías

Tal vez pareciera descortesía pasar de largo sin saludar con el entusiasmo a que son acreedoras, de un lado, la Epifanía del Señor, el 6 de enero, y de otro, la del Euro, escrito así, con mayúscula, pues nombra la manifestación resplandeciente de la poderosa deidad que se nos está apareciendo estos días. Sólo lo he visto hasta ahora encerrado en una bolsita transparente: rojizo, redondo, incomprensible. Dicho a lo Pedro Crespo, no haremos migas los dos; me subyugará como a todos, pero no podré amarlo: se trata de un okupa que desplaza a una amiga, indócil tantas veces, de toda la vida.

No siendo perito en epifanías espectaculares (aunque a una nieta me la bautizaron así, habiendo nombres tan castizos como Vanesa, Jenifer o Penelope, pronunciada esta palabra a lo llano; así oí que llamaba la madre, baturra del Rabal zaragozano, a su desventurada), creo sin embargo que es fecha oportuna para exaltar las revelaciones, no del todo epifánicas, es cierto, que recorren el lenguaje con rasgos casi sobrenaturales de tan tontos.

En efecto, ahí están bullendo prevaricaciones resistentes a la muerte, frescas y ajadas como viejas glorias del plató televisivo, mezcladas con jóvenes asechanzas que anhelan ser vistas u oídas en su sugestiva aparición.

Tenemos, por ejemplo, el cambio que puja por triunfar en el señalamiento del tiempo. Hace ya mucho, noté los avances que está haciendo en el idioma de los políticos —no sólo pero sí más— la locución temporal *a día de hoy*, que emplean en vez de *hoy* o *hasta hoy*, y que trasparenta el *aujourd'hui* francés: «*A día de hoy*, el número de parados....» o de lo que sea, dice cualquier gerifalte de hogaño sin que se le ericen los pelos al huir de tanta indigencia cerebral. Pero este sistema tan perifrástico, que elude *hoy* o *hasta hoy*, tan simples, ha contagiado también a la noche, y ya se oye —lo oigo en mis deambulaciones sonámbulas por las radios— *a noche de hoy*, en lugar de *esta noche* o *hasta esta noche*. Y ha irrumpido con brío roldanesco otra locución, *de buena mañana*, que calca el francés *de bon matin*, muy probablemente a través del catalán *de bon matí*, 'muy de mañana, temprano'. Se oye principalmente en publicidad y lo emplean bastantes locutores de lengua materna catalana. Sin embargo, aunque resulta perfectamente inútil, es al menos de casa.

Esto de situar las cosas en su tiempo, antes establecido por un sistema simple y racional, se está cachifollando con prontitud. Multitud de matices, de distinciones finas que, por afán de precisión, habían modelado generaciones de hablantes, están siendo arruinadas con el desenfado y el qué más da que forman el espinazo espiritual de nuestra época. Desenfado que implica horror a la sutileza, cuya manifestación más perceptible es el tuteo como tratamiento único, que desvertebra posibilidades inteligentes y socialmente relevantes de la expresión. En las referencias temporales a que aludíamos, infinidad de hablantes públicos están emborronando el adverbio *momentáneamente*. Ocurre cuando dicen, por ejemplo, que las conversaciones entre fulanos y zutanos se han interrumpido *momentáneamente*. La gente de mi tiempo —y del actual, que no sea analfabeta— interpreta al oír o leer eso que las tales conversaciones han cesado un instante, a lo que ha obligado algo imprevisto: para que le dé al móvil un conversante, por ejemplo, o para que el de enfrente acuda al final del pasillo a la izquierda o, incluso, para que todos descansen degustando un fino antes de seguir conversando. Porque *momentáneamente* quiere decir 'por muy breve tiempo'. Los transmisores de fútbol son particularmente adictos al disparate, según corresponde a su ordinaria condición: «*Momentáneamente* gana el Betis por 2-0». Pero puede ocurrir que el partido termine con ese tanteo, dando una merecida alegría al beticismo, por lo cual no era momentáneo el resultado, sino que así quedaba asentado para siempre en la historia del fútbol. ¿Por qué no probarán a redimirse tales prevaricadores empleando *de momento* o *por el momento*, que dicen lo que ellos quieren decir y no saben: 'por ahora'.

Y ya que, dándonos cuenta, nos hemos metido en el fútbol, convendrá echar un ojo a algunos de sus visajes últimos. Nadie ignora que el Real Madrid celebra su centenario ocupando destacadas posiciones en cuantos torneos juega. Y que ya asoma por las altas cumbres de la Liga, lo cual permite suponer a muchos que puede ser campeón. Durante mis excursiones radiofónicas nocturnas me he encontrado ya dos veces con esa perspicaz sospecha, manifestada así una vez: «Su posición en la tabla le da claro *favoritismo* de ser pronto el primero de la clasificación»; y otra: «Como una mala racha no lo estropee, todo el mundo apuesta por el *favoritismo* del Madrid». Tal era la sintaxis de esos radiofonemas; y su léxico, revelador de cuánto padece la lengua española en los labios de tantos radiofonadores capaces de confundir *favoritismo* (anteposición del favor al mérito) con *ser favorito* (es decir, contar con mayor probabilidad de ganar). No creo malicia alguna en ambos contadores; ni de lejos supongo que estuvieran corroborando el griterío provincial de «¡Así, así...»», etc.

Pero la festiva efeméride ha estimulado más meninges; los doce meses próximos van a ofrecer dilatado espacio para saborearlas. Por lo pronto, he aquí otra, también de procedencia hertziana: «Ahora *se está vanagloriando al* Madrid». Obsérvese bien: no se vanagloria el club —impensable en él jactancia alguna— , sino que es él quien recibe *vanagloria*. Este verbo constituye una invención idiomática absoluta, y además, es fastuosa por su rara originalidad: lo más parecido al neonato *vanagloriar* que existe es *vanagloriarse*, verbo pronominal reflexivo al que el afortunado innovador amputa el pronombre, y lo hace significar algo así como 'recibir loas, encomios y alabanzas'. Para él, *vana* carece de significado: es un simple estiramiento que hace más percutiente el vocablo.

Es en el fútbol donde el lenguaje no especializado tiene su fértil nido; de él salen, renovándose incansables en osados vuelos, creaciones que buscan ciudadanía española. Un último ejemplo: parece que un entrenador —nunca nombro— fue abroncado por la afición el día en que celebraba haber actuado como tal en 250 ocasiones o partidos. Lo cual ocupaba así el titular de un gran periódico: «Amargo *aniversario* en los banquillos. [El entrenador], que celebró el domingo su partido 250 como técnico de Primera, bañó en frustración su efeméride». Y en el relato volvía a decir: «[El entrenador] no pudo celebrar el 250 *aniversario* como técnico de Primera División». Gran proeza: ya casi nadie alcanza edad tan bíblica.

Rumbos

Ya está lejos la Epifanía y aún no se ha pasado la indignación que en mí y en millares, millones tal vez, de ciudadanos produjo una de esas campañas de buen corazón que acometen por esa época. Fue la desencadenada a favor de los *abuelos:* a quienes no aguantamos más de dos horas pedaleando por el monte, así se nos nombró por los media. Y al oír eso en la tele por vez primera, me invadió una corajina que se estiraba cada vez que lo repetía la incansable chicharra. Cuando a don Quijote, roto de una paliza, se le acerca un cuadrillero de la Santa Hermandad llamándolo *buen hombre* con el idioma de la piedad, el manchego se yergue y lo increpa: «¿Úsase en esta tierra hablar de esa suerte a los caballeros andantes, majadero?». Pues de igual modo nos hemos sentido cuantos, además de esperar a nuestros nietos a la salida del cole (únicos con derecho a *abuelo)*, hacemos cosas vedadas a cuantos majaderos nos llaman así: jugar a la petanca, recordar la Guerra Civil, mirar a las muchachas en flor o en fruto con vagos recuerdos. ¡Tantas cosas inaccesibles a tantos! Y parece indecente que las almas buenas deseen contentar a los *viejos* llamándonos *abuelos;* no nos ofende ser llamados *viejos* y hasta *ancianos.* Lo agradeceremos. Lo de *abuelos* evoca melancólicos seres en un banco del parque, entreviendo la vida de alrededor con la mirada perdida, indiferentes a la colilla apagada que cuelga de sus labios. O mujeres canosas junto a ellos, adormecidas.

Es un indisculpable fallo de la TV, ahora que ya casi no los comete. A nadie extrañe este juicio: todo el mundo puede sentirse feliz con los varios entes televisivos si cambia su modo de mirarlos. Hay una manera antigua de contemplar la pantalla consistente en sentir rabia con la publicidad. Pues bien, cambiemos de expectativa y, apenas puesto en marcha el artilugio, dispongámonos a contemplar atentamente un programa de anuncios. Tendremos que confesar entonces nuestra satisfacción, apenas velada por el pequeño inconveniente de que, a veces, salen trozos de película o de informativo o de chismes porno: sólo duran unos instantes, y enseguida se torna a lo bueno, a los mensajes publicitarios —así llaman a los anuncios— para nuestro recreo. Si el poliedro charlatán prescindiera de esas flaquezas, ¿no sería justo convenir en que es irreprochable?

Sin embargo, no debemos desdeñar tales fallos: son rendijas que permiten atisbar el español del futuro cuando aún está en pañales. Nos resulta posible ver, por ejemplo, el avance del adjetivo *romántico* merced a su machaqueo en filmes y telefilmes doblados mocosuena del idioma yanqui. A quien está enterado de las cosas pasadas del mundo, ese adjetivo lo remite al arrebato, a la pasión violenta, a la anarquía, a la exasperación de las gentes del XIX. Con una vertiente dolorida de desengaño y amargura; por un lado, Espronceda fundando «Los Numantinos» para vengar el ahorcamiento de Riego, o Larra extinguiendo su amor de un pistoletazo; por el otro, Bécquer o Rosalía, con sus desalientos rotos alguna vez por un grito. Pero, durante mucho tiempo, los hispanos bárbaros acabamos igualando lo romántico con lo cursi. «¡Qué *romántico* eres», le dice Penélope complacida al chico que la ha comparado con una flor. Esto es cursi, decíamos. Pues bien, así de tranquila estaba la cosa hasta que Hollywood y otras fábricas han desvitalizado el adjetivo, degradando su cursilería, y convirtiéndolo en algo que califica muy positivamente, sin coña alguna, como por ejemplo, la cena íntima de una pareja en un pequeño restaurante escaso de luz pero con la mesa alumbrada por dos velitas. O una puesta de sol rojiza y áurea frente al mar, contemplada soñadoramente desde una roca por dos enamorados. O la orquídea con que se agradece a la señora haber parido. No tardará en salirse de la pantalla tan redicha manera de hablar, somos ya sus cautivos: es romántico cuanto anestesia placenteramente el alma, y no tardará en calificar cuanto agrade estando en buena compañía; se dirá tal vez que es *romántico* ese coche donde a oscuras, y, bajo palabra de Góngora, se hacen las bellaquerías.

Pero esas distracciones de las emisoras cuando incumplen su misión de anunciar, permiten contemplar los pujos con que se anuncia la primavera en el idioma. Será ya una estación plenamente dominada por el euro, y nuestra economía se seguirá desarrollando hasta no saber dónde. Ha habido, sin embargo, un pequeño problema en la distribución de la nueva moneda: muchos pueblos no estaban *bancarizados*, es decir, carecían de oficinas de Banca, y ha habido que remediar tal carencia con vehículos que convierten las pesetas en sus complicados sucesores. Pronunció esa palabra, *bancarizados*, un miembro del Gobierno; quizá sea normal usarla en sus ambientes, porque la dijo sin inmutarse, gélido, con la misma frialdad con que se dice, por ejemplo, *dentífrico* o *trompeta*; era un frío que helaba la médula. Porque, según el diccionario, *bancarizar* no es 'poblar de bancos la nación', sino «desarrollar las actividades sociales y económicas de manera creciente a través de la banca». Para lo cual, está claro, son necesarias las ventanillas en aldeas, pedanías y lugarejos, pero ello no los *bancariza*: sencillamente, los hace más felices.

Otro pimpollo asoma por el denso ramaje del español: una ilustre locutora de radio, puesta ante una cámara, confesaba hace días el amor sin márgenes que le inspira su oficio, la emoción de estar sola ante el micrófono sintiendo que a él se pegan millares de oídos invisibles y ávidos. Nada la hace más feliz, decía, que *locutar*. Y como nada puede hacerse para evitarlo, mejor será felicitarla. Que *locute* por muchos años hasta alcanzar la absoluta felicidad. Eso; y que los cantautores cantauten.

También se precipita con fuerza la triunfal presencia de un neologismo semántico. Cuando el futuro inmediato de una cosa es incierto, se dice frecuentemente por tele y radio que se ignora cuál será su *deriva*. Define el Diccionario que ésa consiste en 'el desvío de la nave de hacia donde iba, por efecto del viento, del mar o de la corriente'. O sea que la empujan fuera los elementos. Pero no es eso lo que dicen esos aturdidos, cuando afirman que no se sabe la *deriva* de aquella cosa. Quieren decir el 'rumbo'; el cual puede ser bueno o malo, a diferencia de la otra deriva, que normalmente, si el azar no brinda un descubrimiento, acaba en desastre. Se trata de un galicismo; parece que, hace unos treinta años, personajes doctos y escritores grandes como Malraux o Mauriac empezaron a utilizar *dérive* en ese sentido de 'rumbo incierto' pero no siempre negativo. Aquí no se exigen usuarios tan selectos, y es perfectamente posible oír en transmisiones de fútbol que «tal como va el partido, puede tomar cualquier *deriva*». Es fácil, pues, codearse con aquellos campeones del estilo. Y, de paso, enterrar *rumbo* en el camposanto de los vocablos asesinados.

Con algún género de dudas

¿Deben obedecerse las leyes, decretos, regulaciones y demás rémoras contra el albedrío humano cuando contienen yerros idiomáticos reveladores de que, al dictarlas, se ha hecho una higa al diccionario? ¿No es la ley del idioma la más democrática, como hechura directa del pueblo, y, por tanto, la más respetable? Parece que no, al menos para la Comunidad de Madrid, la cual, según reza su Boletín Oficial, deseando poner orden en los modernos apareamientos, ha dictado una providencia que elimina barreras jurídicas a las que llama «parejas de hecho» (puro inglés: *de facto couples*).

Y es en tal providencia donde habla «de los derechos de los *homosexuales y lesbianas*». No es infrecuente error, pero impensable en el autor del desmán, sin duda selecto funcionario. Porque la condición de homosexual nada tiene que ver con el *homo* 'hombre' latino, sino con el griego *homos*, que significa 'igual': en efecto, a los homosexuales les gustan las personas de igual sexo. Y dado que las lesbianas son homosexuales (Safo, en la isla griega de Lesbos, amaba a las muchachas a quienes enseñaba el arte de la poesía, si es que Anacreonte no inventó la noticia), se ignora por qué la Ley autonómica las excluye de la homosexualidad y forma con ellas

193

grupo aparte. Mejor dicho, no se ignora la causa: es por ignorancia.

Cabe, sin embargo, explicar por qué se piensa que la *homosexualidad* alude sólo a la de varones, en correlato con *lesbianismo*. Y es que la opción más frecuente hoy para denominar tal naturaleza en los hombres es la de *gay*, vocablo que, en contextos circunspectos como sin duda es la Ley, se trata de evitar. Porque, en efecto, el término según define con su acostumbrada exactitud el *Nuovo Zingarelli* italiano, *gay* es el homosexual contento y hasta orgulloso de serlo. No estamos seguros de que eso ocurra exactamente así en España, pero las compilaciones de léxico *gay*, que no escasean en Internet, apoyan esa nota lexicográfica. Hasta en textos hórridamente cibertraducidos aparece *hombre alegre* en lugar de *gay*. Así que, hablando con cuidado, se prefiere *homosexual* a esa última palabra, a costa de fundir sus significados. Además, hay homosexuales que, tal vez, no sentirían satisfacción al ser nombrados *gays*.

Es ésta la razón, pensamos, de que, además de la perturbación introducida por el *homo* latino 'hombre', la Ley madrileña haya dado ese traspiés, sacando a las lesbianas del recinto de quienes, en amor, necesitan al mismo sexo. Si ha reservado *homosexuales* para los varones que lo son, se debe casi seguro a que ese término ha parecido menos connotado que *gay*, más respetuoso.

Es notable, por cierto, la palabra *gay;* empezó calificando el arte de los trovadores en lengua provenzal, practicantes del *Gay Saber,* aquel monótono y bello modo de cantar a las damas regulado por las *Leys d'amors*. Con las formas *gai* y *gaie*, el término calificó y califica en francés todo lo alegre. De este vocablo salió por los años treinta el *gay* norteamericano, empleado en las cárceles para nombrar eufemísticamente a los homosexuales, tanto hombres como mujeres, aunque estas últimas prefirieron pronto acogerse al de *lesbianas*. Y con una inyección semántica de viveza combativa regresó a Francia, a Europa.

Gay indiscutible es quien *sale del armario*, expresión que se limita a calcar el inglés americano *coming out of the closet*. Y *armario* designa en los medios gays españoles a quien permanece escondido, sin atreverse a salir, de quien se dice que es *un armario* o que *va de armario*. Por cierto que un movimiento de ateos yanquis se ha apropiado de la expresión, y llega a distinguir cinco fases en el proceso evasivo: en la primera, ni aun la esposa conoce el ánimo del fugitivo; después, la esposa lo conoce; tras ello, saben de él algunos amigos discretos; seguidamente, no se hace ningún esfuerzo para ocultarlo; y, por fin, la puerta a hacer gárgaras.

Otro anglicismo ampliamente utilizado en España referido a ese mundo es el de *ambiente*, término que, según uno de los léxicos de ordenador en que me documento, significa 'circuito de locales frecuentados por gente gay o lesbiana', es decir, bares, hoteles, discotecas, saunas: todo lugar donde puede haber «meneo» (sic). El término *ambiente* aparece en nuestra lengua desde el siglo XVI, tomado del latín *ambire*, 'rodear', y hoy designa, entre otras cosas, 'condiciones o circunstancias físicas, sociales, económicas, etc. de una colectividad'. En francés, junto a *ambiant* se formó el siglo pasado *ambiance*, importado en inglés como *ambience*. Término difícil de hispanizar americanizándolo a mocosuena (hubiera sido, horror, *ambiancia)*, por lo que, en nuestra lengua, se cargó *ambiente* con la acepción vista.

Nada de esto causa perturbación al idioma: cada comunidad homo o hetero suele necesitar sus propias jergas, que la aísla de quienes no la entienden o, para seguir en ésta, no entienden y son *straights*. Pero hay un neologismo que no pertenece estrictamente al lenguaje de la homosexualidad, aunque también la engloba. Se trata del desarrollo impetuoso que, día a día, va adquiriendo el vocablo *género* para acoger tanto al varón como a la mujer, incluidas sus distintas *orientaciones* sexuales. Y acabo de emplear un anglicismo que se está colando en el idioma sin ninguna resistencia; *orientar* es 'dirigir o encaminar', y la mujer y el hombre no nacen orientados, sino poseedores de una determinada condición, índole o naturaleza: cualquiera de estas palabras u otras semejantes hubieran debido elegir quienes, para traducir, macarronizan.

Volviendo una vez más a *género*, en la conferencia de Pekín de 1995, ciento ochenta gobiernos firmaron un documento donde se adoptaba el vocablo inglés *gender*, 'sexo', para combatir la *violence of gender* (la ejercida por los hombres sobre las mujeres) y la *gender equality* de mujeres y hombres. Y el término se repitió insaciablemente en los documentos emanados de la masiva reunión convocada en el año 2000 por Naciones Unidas llamada «Beijing+5»; este + es porque habían pasado cinco años desde la pequinesa.

Ocurre, sin embargo (Webster), que «en rigor, los nombres en inglés carecen de género» gramatical. Pero muchas lenguas sí lo poseen y, en la nuestra, cuentan con *género* (masculino o femenino) sólo las palabras; las personas tienen *sexo* (varón o hembra). A pesar de ello, los signatarios hispanohablantes aceptaron devotamente *género* por *sexo* en sus documentos, y, de tales y de otras reuniones internacionales, el término se ha esparcido como un infundio. Lo señalé hace meses, pero por ahí tenemos galopando tan aberrante anglicismo; y, a quienes tan justa y briosamente combaten la violencia contra el sexo, ejerciéndola cada vez más contra el idioma.

Se habla español

¿Quién no ha sentido el anhelo irreprimible de adquirir un coche en el Estado de Oregon, USA? Pues es fácil: una vez allí, se consulta una revista dedicada a *cars*, y en ella se encontrará este anuncio resolutivo: «No Credito Mal o buen Credito todos reciviran el buen Trato que se meresen Aquí en Broadway Toyota Fabor de hablar para su cita al #2841105Pregunte Por el Señor NoeENriquez Que estara a sus ordenes acistiendo ala comunida Hispana. Se habla español».

Un paisano que ha estado en semejante lugar me envía una página con ese aborto de final tan patético, para no tener que creerlo a pura fe. ¿Quién está interesado en mantener a muchos hispanos en tanta indigencia mental? ¿Y hacemos algo eficaz por remediar esa desdicha quienes sí estamos concernidos?

Pero ahora que a Francisco de Goya le han aposentado los cuadros en Washington, es ocasión de visitarlos aprovechando el viaje a Oregon. No estará de más, antes de la visita, saber algo profundo del gran pintor. Consultemos en Internet su WebMuseum y aceptemos la invitación a leerlo en español; informa de esto: «*Goya (y Lucientes), Francisco (José)* de (b. de marcha la 30 de 1746, Fuendetodos, España-d. De abril el 16, 1828, Burdeos, capítulo), artista consummately español que pinturas, dibujos, y grabados multifarious reflejaron agitaciones históricas contemporáneas e influenciaron los pintores importantes diecinueveavo y 20th-century. La serie de aguafuertes *Los desastres de la guerra* registra los horrores de la invasión de Napoleonic. Sus obras maestras en la pintura incluyen *el Maja desnudo* y *el Maja arropado»*. ¿Por qué habrá hecho Goya transexuales a sus majas, ejerciendo además sobre la/el primera/o tal violencia de «género» en pleno invierno? El sistema Beta de traducción automática que aquí se ha aplicado consigue una explosión de risa que, apelando a lo insuperable, jamás lograrían Chaplin, Keaton, Tip y Gila juntos.

Y es así como suele tratarse nuestra lengua por esos mundos; algunas veces he llamado la atención sobre tamaño ultraje, especialmente asiduo en las instrucciones —enigmáticas normalmente— para el manejo de cualquier invención que nos hace más civilizados. Tengo ante los ojos el envase de una especie de cosa llamada Disk File 80, que, como su nombre indica, sirve para archivar ochenta disquetes de tres pulgadas y media. Y ¿cuál es la ventaja de esa útil manufactura? Hela: «*Ahorha* espacio». No creo que el Gobierno debiera permitir la venta en España de productos que entran menospreciando así nuestro idioma; ningún Gobierno hispano debiera permitirlo. Pero supongo que ni siquiera un desdén compasivo causaría proponer a nuestro Parlamento algo parecido a una ley de defensa del idioma similar a la de Francia.

La veleidad flexiva patente en *el Maja desnudo* también produce miasmas cerebrales entre nosotros, que dan origen a *las antípodas* o *la maratón*, feminizando el masculino con singular violencia de género. O que permite calificar de *bermellona* la camiseta del equipo de fútbol mallorquín, afeminando y violando el color *bermellón*. Pero ¿qué puede esperarse, si las propias disposiciones oficiales llaman *patrullas unipersonales* a los policías que, sin acompañante, nos vigilarán por los caminos para que no andemos en malos acelerones? Las patrullas, ¿no han sido siempre *grupos poco numerosos* de soldados o policías? Pero, claro, es que *patrol*, en yanqui, nombra a 'una persona o varias personas patrullando'. Ese «una» es el que ha metido en la lengua española otro indeseable sujeto, urgentemente nacionalizado por la autoridad competente.

Otras cosas de enorme interés han ocurrido y han dejado huellas en el idioma antes de que el invierno acabara despegándose del calendario. Acontecimiento inolvidable fue el cumplesiglo del Real Madrid, cuyo comienzo de celebración escoñó el triunfo coruñés. Un periódico de la Corte anunció así el desastre: «El Depor *da un golpe bajo* al Centenario». ¿Será posible? Se lee en el Diccionario que el *golpe bajo* es una «acción malintencionada y ajena a las normas admitidas en el trato social». Quienes presenciamos el partido podemos jurar que ningún pie gallego buscó el bajo vientre contrario: aquel titular era claramente tendencioso. Otra cadena sentenció que el Centenario empezaba *haciendo aguas*; claro que quiso decir *haciendo agua*, pero el plural convertía el suceso en mera micción.

Acontecimiento funesto, plenamente invernal, fue lo del esquiador germano-murciano Johann Muehlegg en los Juegos de Salt Lake. Todos los buenos españoles saltamos de gozo al verle empuñar la tercera bandera; todos nos derrumbamos al ver cómo se la arrebataban; y ¿de qué modo comentó este drama colectivo un charlador de TV? Pues diciendo que «con Muehlegg nos ha salido *el rabo entre las piernas*». ¿A todos, a todas? El Diccionario asegura además que eso del *rabo entre piernas* supone 'quedar vencido y abochornado o corrido'. Encima.

A Olimpiada muerta, Campeonato puesto: dentro de nada, ahí tendremos la Cumbre Mundial del Balón. ¿Quiénes defenderán nuestra casaca? Tal vez haya que hacer a Kluivert murciano como a Muehlegg. Por fortuna, nuestro asalto a Copa tan insigne cuenta con un buen estratega; por ello, un cronista deportivo ha recomendado por escrito «dar *manga ancha* al seleccionador», pues es, según se define a sí mismo, un «*reflejante* de la opinión pública». ¿Quién se atrevería a disentir de exhorto tan misericordioso? Sólo que, deseando decir que debe otorgarse confianza al seleccionador, lo que ha pedido el reflejante es que se le trate con 'lenidad o excesiva indulgencia' (DRAE); si la idea del cronista prende, puede echarse buenas siestas el señor Camacho.

Dejo para el final la Cumbre de verdad, la de Barcelona: ¿quién no vivió el día de san Agapito pendiente de que Chirac nos condenara o no a electra perpetua? Bien valió el esfuerzo hecho para evitar sobresaltos a los poderosos que debatían tan ardua cuestión (total, para seguir recibiendo el mismo calambrazo mensual, o más fuerte). Pero, en fin, estuvieron muy acertadas las medidas protectoras de tales sesudos: la pantalla televisiva mostró a diversos policías que vigilaban desde terrazas próximas al hotel Juan Carlos I. Y dijo el locutor que eran *francotiradores*. (Esto es, 'personas aisladas que, apostadas, atacan con armas de fuego').

El asunto no es de broma: licenciados universitarios desconocen qué significan *golpe bajo*, *rabo entre piernas*, *manga ancha* o *francotirador*. Insisto en lo de licenciados universitarios; y, además, con oficio de hablar o escribir retribuido. La instrucción pública ha sufrido tantos ataques reformadores, que es hoy mustio collado. En esto sí: o revolución o muerte.

De campo

El pasado 1 de mayo irrumpió un vendaval futbolero que, a partir de hoy, se convertirá en ciclón oriental. Imposible escapar de él; cuando parecía amainar el tumulto de los cantores de Estonia y ello auguraba una cierta paz cerebral fortalecida con el inminente letargo del verano, he aquí lo de Corea, que tal vez convierta en éxito lo de Tallin.

No extrañará, pues, que el balón sustente hoy esta columna, a ver si rueda con mejores augurios que el primer acontecimiento histórico del siglo, el del mencionado primero de mayo (que luego sería superado por el segundo acontecimiento histórico del siglo, el de Glasgow; pero éste fue tan rotundamente histórico, que su glosa no cabría en un artículo, a causa de aquel patadón histórico, merecedor de toda una página). Recordemos cómo empezó todo: el miserable coche bomba a los pies del Bernabéu. Ya dentro de él, una aglutinación internacional denominada Real Madrid venció a otra aún más promiscua llamada familiarmente Barsa. Sin embargo, lo importante de verdad fue el preludio montado tras el bombazo contra informadores y policías por unas docenas de antropomorfos. Leo cada vez con mayor fruición a mi bravo paisano Joaquín Costa, que, según su inscripción sepulcral en Torrero, quiso redimir a su pueblo pero no legisló. Como otros regeneracionistas, pensó que España sería otra y mejor con dos cosas que le faltaban: despensa y escuela. La primera ha sido mucho mejor atendida (*primum vivere...*), pero la otra, la escuela, tras algunos remontes, está como vemos: forzada a una activa producción de bárbaros. Seguramente, entre los ultras madrileños, había varios que, por prescripción legal, no pudieron ser corregidos en sus centros escolares.

Los medios de comunicación audiovisual fueron contando desde horas antes lo que ocurría en el estadio y alrededores; olvidada enseguida la bomba, fue más atractivo el ambiente, animado por los vocejones de los forofos y forofas, que, cuando acertaban a construir algo como una frase, confesaban tener buenas *sensaciones*. Era, sin duda, un pensamiento que les había entrado a gatas en los sesos por una rendija del cráneo, y que ahora expelían. Querían decir que algo les hacía presentir la victoria de su equipo. O me equivoco mucho, o las *sensaciones* están sustituyendo a las *vibraciones*, como no hace mucho empezó a decirse, para denominar todas las formas del barrunto. Tan patente vulgaridad se ha colado en el último diccionario; eran mucho más bellas las *vibraciones*, con su sugestivo halo pitagórico. Las *sensaciones* contribuyen a la reducción galopante de nuestro idioma, al que se están birlando vocablos, aparte *barrunto* y *presentimiento*, *corazonada*, *augurio*, *presagio* o *premonición*.

Y mientras los hinchas ocupaban pantallas y micrófonos, la voz de un profesional del lenguaje informaba de que, desde hacía muchos días, una *pancarta* sobre las taquillas anunciaba que no había localidades. Estos chicos que salen laureados de sus centros universitarios, además de dejar mondo y escuálido el idioma, lo dejan también lirondo, pues se empecinan en trabucarlo. Quien llamaba *pancarta* a un cartel, a cualquier cartel, ignora que aquel nombre se da a un cartelón que, según descripción del Diccionario, 'se exhibe en reuniones públicas, y contiene letreros de grandes caracteres, con lemas, expresiones de deseos colectivos, peticiones, etc.'. Hay pancartas en las huelgas, las manifestaciones, en los concejos vascos...; no sobre las ventanillas con bustos dentro.

Por fin, he ahí los jugadores surgiendo del vestuario. El locutor relata lo que estamos viendo y oyendo: el clamor de Troya. Y con el acto de aparecer, ¿qué han hecho los balompedistas? Acaban de *ingresar* en el campo, lo cual es una nueva manera de evitar *salir*; si salían de donde estaban, o *entrar* si el campo se ve como un recinto en que se entra. Para soslayar elegantemente la vulgaridad de ambas cosas, se inventó en época inmemorial *saltar al campo*, acción bien extraña, pues los jugadores no se aparecen a los hinchas brincando como danzantes o saltamontes, sino emergiendo, con un leve trotecillo, de una misteriosa boca de cemento. Pero aun cuando no den salto alguno, hace años que *saltar* figura en el Diccionario con tan asombrosa acepción.

El comentarista, tras observar con cuidado a los jugadores de siempre, hace notar que *hay gran calidad sobre el terreno de juego*; unida tal vez a una lustrosa multitud de euros. Y empieza el partido; gran lástima: Guti se va al suelo; luego, Xavi. Como dice el retransmisor, los futbolistas pierden fácilmente la *verticalidad* porque han regado en demasía la hierba. La cámara lo corrobora, pues muestra a Raúl en plena horizontalidad.

Hay también un resquicio para observar que los jóvenes participantes *lucen*, dice un locuaz, las camisetas de siempre. Parece raro que unas camisetas dedicadas al destino innoble de ser sudadas puedan permitir lucimiento alguno. Pero, aceptadas como símbolos sublimes, es de sentido común que se pueda *defender la camiseta*, honrarse con ella y hasta morir por su causa, como por la patria.

Un incidente en el juego: persiguiendo impetuosamente un balón, alguien ha atropellado a un miembro del equipo rival, que cae por la hierba completamente perdida su verticalidad. Y entonces, el atolondrado salta *deportivamente* sobre el atropellado, lo cual señala el narrador muy complacido como si fuera lícita otra opción; la de botar sobre el vientre del caído, por ejemplo.

La gramática del partido sobresalta cada dos minutos: ora es que se desvanezca el artículo (corre *por banda derecha*, dispara *con pie* izquierdo), o se tergiversen las preposiciones (comete falta *sobre* Overmas), ora es que quienes cuentan el partido inflen su narración de posesivos: Roberto Carlos no dispara *con la pierna* derecha, sino más precisamente, con *su pierna* derecha. Queda así bien claro que no lanza con la nuestra, gracias a lo cual nos libramos de duelos y quebrantos que hubieran hecho rotunda injusticia a nosotros que estábamos inmóviles en el sillón. ¿De dónde habrá salido esta proliferación de posesivos, tan estúpida? (Aunque la supresión lo es más: chuta *con pie* izquierdo).

El espectador de salón recibe además una ilustración gráfica que no suelen ver los del campo: apenas la cámara enfoca de cerca a los jugadores, se percibe cuánta es la productividad bronquial de éstos, a juzgar por los lapos que emiten (*lapo:* no figura con esta acepción en el Diccionario, y ha escapado a la atención de cuantos practican la fácil montería de cazar faltas picoteando en él). Pero lo importante es que, hoy, en este histórico dos de junio, veremos un impresionante gargajeo; vayamos de campo. Al de fútbol, naturalmente.

Libro verde

Una profesora amiga que no salió indemne de la reciente conmemoración de Baltasar Gracián organizada en Zaragoza por la admirable Aurora Egido, sino profundamente impresionada por el jesuita aragonés, y, como es lógico, considerablemente mareada por su lenguaje, me requiere para entender un trozo soturno de *El Criticón*. Creo haberlo rescatado: es aquel pasaje de la segunda parte en que el Sátiro explica a Critilo cómo muchos viciosos acusan a otros de sus propios vicios, y así, el murmurador se hace testigo falso, y *el infame para en libro verde*.

¿Es que sólo los infames, esto es —argumenta—, aquellos a quienes el Diccionario califica de malos y viles, carentes de honra, crédito y estimación, escriben libros picantes y cuentan historietas cachondas? No lo cree, porque ella conoce a un psiquiatra que prodiga los chistes verdes, y que no es vil ni carece de crédito; por el contrario, goza de estima entre la gente de bien.

Obviamente, *verde* ahí no significa 'obsceno', aunque sí lo creía Romera Navarro, acreditado exegeta del famoso clásico. Le hubiera bastado consultar el Diccionario de Autoridades para averiguar que *libro verde* es 'el que contiene las cosas particulares de un país y de los linajes de él, y lo que cada uno cuenta de bueno o de malo'. A lo que añade: 'Figuradamente llaman así a la persona dedicada a semejantes noticias'. Por tanto, un infame se hace *libro verde* cuando se convierte en infamador. «Es vuestra reverencia un *libro verde*», podía reprochar el famoso escritor a cuantos, en la Compañía, intentaban salpicarlo de sí mismos.

Y es que él sabía mucho mejor que la Academia —y que Romera— el significado propio de tan extraña soldadura de vocablos. La explica en el *Oráculo manual*, cuando aconseja al varón discreto que se guarde de ser enlodado por un *libro verde*. Aclarando, en efecto, por qué alcanza una persona tan degradante título, dice que señal «de tener gastada la fama propia es cuidar de la infamia ajena: querrían algunos con las manchas de los otros disimular si no lavar las suyas; o se consuelan, que es el consuelo de los necios. Huéleles mal la boca a éstos, que son los albañares de las inmundicias civiles. En estas materias, el que más escarba más se enloda». Y es fácil hacerlo: «pocos se escapan de algún achaque original, o al derecho o al través», es decir, todos tenemos algo que se puede reprobar a la cara o murmurado. Pero quien lo airea o lo inventa es, según su sentencia rotunda, «un desalmado». Sin embargo, resulta difícil explicar esa extraña vecindad de palabras: ¿por qué *libro verde*?

Los clásicos antiguos calificaron de *verde* la ancianidad vigorosa, de primavera tardía, sin achaques notables, y se siguió haciendo en las lenguas modernas: la *viecchiezza verde* italiana o la *verte vieillesse*, de nuestros vecinos. Pero como a esos viejos afortunados les aguija aún la libido, juguetenado con el adjetivo *verde* se le añadió enseguida el rasgo irónico de 'lascivia'.

En efecto, abundan en la literatura del siglo XVIII los personajes de ese jaez, pero ya no sólo lozanos y rijosos; otra nota más se les ha anejado: la de ridículos. En efecto, el viejo que está al olor de jovencillas es en aquella literatura un vejete, canijo casi siempre, gotoso, encorsetado, que gallardea entre petimetras; en una página costumbrista de 1803, uno de ellos confiesa cómo, en una velada, mariposeó, poniendo, dice, «coloradas a algunas con mis lindezas; por fin, se bailó y yo también, aunque me mataba la gota». Fue una bufonada, pero como no es, concluye, «el único *viejo verde* que hay en el mundo», lo cuenta para aviso de caducos.

Por esa época, pues, la malicia ha ocupado totalmente el verdor, y ya no será posible elogiar a un varón afirmando de él que es un *viejo verde*. Y ¿quién, para ensalzarle el vigor, llamaría *vieja verde* a una dama setentona?

Sin embargo, hay gran distancia entre el *viejo verde*, tan irrisorio, y el *libro verde*, tan miserable. Ninguno de ellos tiene tal coloración, pero ésta salta a los ojos en el primer caso, y se ve arduo cómo llegar con tal adjetivo hasta el libro insidioso y, aún más, al ruin que lo escribe. Puede tratarse de un galicismo, porque *vert*, en francés, por entonces, servía para calificar de 'rudo' o de 'áspero': *une verte semonce* era un broncazo. Y ¿qué es sino vituperio abyecto un libro de ese color? (También *pone verde* quien vilipendia. Quizá la bilis ande coloreando todo esto: según y cuándo se mire, es amarilla, verde y hasta negra: *atra bilis*).

El paso siguiente resulta mucho más sencillo: decimos de alguien que *es un libro abierto*, y metamorfoseamos el libro haciéndolo persona: un tropo elemental. Y eso parece haber sucedido con el *libro verde*, que es también quien lo escribe, tal como venimos diciendo.

Como peculiaridad de nuestro idioma, no sólo las personas pueden ser *verdes:* vocablos, dichos, chistes y cosas así son capaces de tal mérito. Éstos eran *colorados* hasta el siglo XVIII. El Diccionario de 1739 define *palabras coloradas* como las 'deshonestas e impuras, que se mezclan en la conversación por vía de chanza'. En 1803, ya no eran coloradas sólo las *palabras* chacoteras, sino todo 'lo impuro y deshonesto que, por vía de chanza, se suele mezclar en las conversaciones de poca crianza'. Tal proceso se consuma por completo en el siglo XIX, y la Academia pormenoriza: *verde* califica 'a cuentos, escritos, poesías, etc.' (1852). Y *colorado* pasa al baúl de los arcaísmos. También, ahora mismo yacen ahí, según la valoración de los jóvenes, *viejo* y *vieja verde;* lo referí en un dardo hace diez años.

¿Qué queda hoy del *libro verde?* Éste, no su escribidor —sigue habiendo bellacos— se extinguió, pero, metidos en el siglo pasado, aún le quedaban rescoldos y, raramente, continuaba significando 'libro en que se escriben maldades, denuncias y acusaciones' (hay aparte, claro, los modernos libros blancos, amarillos, azules y, por supuesto, verdes también, que publican los gobiernos; son otra cosa). El español Julio Senador escribía en 1918: «Tú vete por ahí diciendo, es un suponer, que eres republicano y el día que te apunten en *libro verde*, di que has hecho el negocio redondo». Y quince años más tarde, en un relato del colombiano Tomás Carrasquilla, se leía algo similar.

Un Rafael Alberti joven (1920) habla también de un libro de tal color; líricamente exhorta a una glorieta con abetos: «Si te cubren de asfalto, glorieta de mi alma, sea después del crepúsculo a la madrugada nueva. Que nadie lea en tu *libro verde* abierto, mi historia vieja —niña—

y muerta». Que desaparezca, pues, por la noche para que nadie pueda conocer la historia del poeta conservada en aquellos verdes abetos como en un libro. Nada que ver con lo nuestro.

Ante julio

Vaya mes el que hoy fenece. La diosa Juno que le da nombre y cuya función en el Gabinete olímpico, aparte la de proteger parturientas consistía en velar por el Estado, ha dedicado alguna atención al nuestro para que, durante esas cuatro semanas, se invertebrara sólo un poco más. Qué zarandeo, entre leyes, cumbres, manifestaciones, huelgas, porcentajes, Bolsa, el Mundial que, según prestigiosos expertos ha sido muy *físico*, y, encima, culminándolo (se dice así), el morrón coreano. Para no repetirlo; ojalá pasemos un julio tan a gusto como un arbusto (lo oí por televisión a un concursante, y me pareció un pareado digno de ponerlo por escrito, o *negro sobre blanco*, como dicen nuestros semicultos que han recibido un hervor de inglés). Aunque puede que no tengamos tanta suerte y no salgamos aún del tembleque, estando como estaremos bajo la tutela nominal del belicoso Julio César: bien se sabe que *julio* es por él. Así es que hemos tenido muchas ocasiones de horripilarnos; forman este divertido verbo (del latín *horripilare)* una primera mitad que trasparenta el 'horror', y la segunda el 'pelo' (latín *pilus)*. Y significa literalmente, todo el mundo lo sabe, 'poner los pelos de punta', por miedo o formidable conmoción. El español ya conocía el latinismo *horri-*

213

pilación desde los principios del siglo XVII («cierta *horripilación* que el vulgo llama calosfríos», Méndez Nieto), pero aleteaba por el idioma carente de nido. Sin embargo, su familia léxica se había aposentado firmemente en francés desde principios del XIX, y, por tanto, el verbo y sus derivados tuvieron sin tardar certeros e ilustres avalistas entre nosotros, como Modesto Lafuente (1842), Estébanez Calderón (1847) o Fernán Caballero (1849). Ante tanta pujanza, nuestro Diccionario le dio cobijo en 1852. Por otra parte, se había creado con aspecto más castizo *poner los pelos de punta*, también calurosamente acogido por plumas aún mayores (Galdós, Pereda, Menéndez Pelayo...).

Así estaban las cosas, cuando hace unos treinta años empezó a difundirse lo de ponerse *el vello de punta*, melonada eufemística, ya que el *vello*, por supuesto, y sólo en singular, es el 'pelo que sale más corto y suave que el de la cabeza y de la barba, en algunas partes del cuerpo humano'. ¿Qué vello, pues, se eriza, el de los brazos y pantorrillas, el que arteramente recorre la espalda de muchos y muchas, el bigote execrable allí? Pero ese monstruillo se hizo merecedor de horca cuando, a renglón seguido, fueron *los vellos* los que se pusieron de punta. ¿Así que cada pelito de esos fue un vello? Extraordinario.

Pero no queda aquí la cosa. Por pura broma empezó a cruzarse *carne de gallina* con *los pelos de punta*, y procrearon el burdégano *los pelos de gallina:* se trataba de una broma particularmente ingeniosa y jovial. Así empezó a ser empleada no hace aún tres lustros, y quienes lo hacían tenían clara conciencia de su ocurrente y culta extravagancia. Pero el reinante analfabetismo se apropió de ella, se olvidó del dislate, y éste anda por las antenas como locución de casta. A miles de aficionados *se les pusieron los pelos de gallina* cuando, ante Eire, el Cid Casillas expulsó con sendos mamporros el esférico que, por dos veces, se le venía enfurecido vía penaltis (¡vana ilusión!). El locutor que emitió tal sandez, atontado por el paroxismo, ni se dio cuenta de qué decía: para él, en aquel trance conmovedor, hasta los lenguados podían ser peludos.

Aquel partido supuso la coronación de Iker I de España, tras un corto exilio en que llegó a ser II de Madrid. Lo explicó con precisión un locutor: el muchacho estaba destinado a ser también suplente en Corea, pero el titular se lesionó. Y —dijo literalmente el informante— «ante esa *incontinencia*, el que era entonces segundo portero, tuvo la oportunidad de *sacar de sí* todo lo que tenía dentro». ¿Deseó decir que la *contingencia*, convertida por él en *incontinencia*, favoreció a un inmenso meón? ¿Gracias a eso se produjo la *enaltación* de éste, según dijo una veterana presentadora televisiva?

Artefacto este, el de la tele, que ha sacado del Mundial cuantas horas ha podido: entrevistas, declaraciones, elevada filosofía del fútbol... Y vimos algunas ráfagas de *entrenos* de nuestra selección. Sin duda, *entrenar* es uno de nuestros vocablos más mutantes: sabemos los prehistóricos del idioma que, en nuestros tiempos, los jugadores *se entrenaban*, mientras que el «coach» (por variar y modernizar el léxico) los *entrenaba*; primera sacudida proveniente de América; se amputó el pronombre y así, Morientes *entrena* cuando corre, salta y pelotea, y, a su vez, Camacho *entrena* a la selección. *Entrenar* asumía de esa manera su antiguo significado reflexivo, podía seguir siendo transitivo, y, de paso, se travestía de intransitivo. Como es natural, el Diccionario académico no ha acogido tan fea mutilación, que no es sólo léxica, sino que ataca al corazón de la Gramática. Y eso es un poco más serio.

Pero el infolio, en su última edición, ha acogido *entreno* por *entrenamiento*, sin duda por hallarlo morfológicamente explicable: tenemos otros nombres posverbales, es decir, extraídos de una forma verbal: un *espía*, un *escucha*, la *marcha*, la *cita*, el *encuentro*, el *recibo* y bastantes más. Pero todos tienen la particularidad de que no se introdujeron para sustituir a otras palabras, sino que fueron creadas para satisfacer una necesidad. En este caso, ya teníamos *entrenamiento*, voz que entró en el Diccionario en 1927, cuando ya la usaba mucho antes el tratadista militar Jaime de Viadna (1764): el jefe «debe atender con vigilancia a la salud y *entrenamiento* de los soldados y de los caballos»), y numerosos escritores (Pereda, Lugones, Maeztu...) antes de ese año (¡ah, los retrasos de la Academia, antes vituperada por ellos, y ahora, a veces, por su velocidad!).

Lo del Mundial daría mucho más de sí, si mi ánimo no hubiera salido derribado de aquel estadio del sol menguante. Ni fuerzas tengo para revisar mis notas. Sólo me quedan reminiscentes los tacos con que tantos comunicadores —y no sólo de deportes; pero éstos parecen haberse concedido bula— se apoyan para andar cojitrancos por el idioma y entristecerlo. El taco en sí no resulta abominable cuando entra como un estoque en la charla confianzuda, oportuno, en su sitio. Pero es síntoma de hambruna mental eyacularlos en público y reírlos. La imagen que ofrecemos, apoyada incluso con nuestros impuestos —de TVE hablo, y su cortejo radiofónico—, de ser la de aquellos entrañables ancestros nuestros, convertiría Atapuerca en Atenas. Y así nos pilla julio.

La tostada

Primer sobresalto de la mañana servido con la tostada: un mensajero ha traído una de esas cartas cuya rigidez advierte lealmente que no interesa nada el contenido. A pesar de ello, es muy temprano y la abro; es de una Fundación con sede en Barcelona y apeadero en Madrid. Comienza así el incordio: «Habiendo detectado un error en el *mailing* de la *Newsletter* n. 11...». La descarga de adrenalina me impide continuar, porque apenas sé qué es un *mailing*, y no acierto a vislumbrar la *Newsletter* de marras. Decido que, sean lo que sean, no me importan un pepión, como decían nuestros ancestros medievales, ni la *Newsletter* ni esa Fundación de pujos culturales que, apenas abres sus cartas, te lanza a la cara un par de morradas.

Quería pasar por alto ese «habiendo *detectado*», pero no he podido: el correo urgente me trae otra carta en que, desde una oficina, se me advierte que, en una factura, al convertir las pesetas en euros, se ha *detectado* un error. No puedo, pues, hacerme el distraído ante este tosco anglicismo, que, como ocurre con todos ellos, apenas izada su bandera en territorio léxico ajeno lo ha subyugado.

Es curiosa la infiltración de este vocablo, que acogió el Diccionario académico en 1970 como derivado del la-

217

tín *detectus*, 'descubierto', con el significado de 'poner de manifiesto por métodos físicos lo que no puede ser observado directamente'. Resulta claro: se trataba de un tecnicismo, casi ausente del lenguaje común. En 1984, la Academia corregía la limitación anterior, para añadir lógicamente que también los métodos químicos pueden emplearse para detectar. Y sin eliminar la etimología latina, se apuntaba el origen cierto de *detectar*: no vino derecho a nosotros del latín *detectus*, sino por vía angloamericana: *to detect* empezaba a invadir para todos los descubrimientos y averiguaciones y, en 1992, el infolio añadía escuetamente otra acepción: 'descubrir'. Ya por entonces, el triunfante vocablo saltaba como por lianas de rotativa en rotativa, de radiovisual en radiovisual. Y al llegar 2001, la Academia renuncia tal vez con aflicción al remoto antecesor latino, aceptando la realidad: *to detect* es el padre real y no putativo de *detectar*. A la vez, dejándose de los descubrimientos hechos en laboratorio, define así ese verbo con encomiable laconismo: 'Descubrir la existencia de algo que no era patente'.

Ya impuesto su despotismo en ese punto de la lengua española, el anglicismo ha ahuyentado cuanto podía oponérsele. Hoy la emplea el burgo de toda clase y condición. ¿Qué hubiera escrito en un comunicado como el de la aludida Fundación una secretaria o un secretario antiguos? Pues probablemente algo así como hemos *advertido* o *notado* u *observado* o *nos hemos dado cuenta de* o *reparado en* o *percatado de*: cosas pasadas de moda, son arrugas en el rostro de nuestra lengua. Hoy se prefieren estas palabras multiuso, sosas e incoloras pero siempre a mano. *Detectar*: bien estaría si alternase pero, erigiéndose en único, se convierte en otro somnífero de la mente hispanohablante.

(Todo esto, a propósito de una *newsletter* y de un mal cálculo en la traducción literal de pesetas a euros: cosa de céntimos, aunque ahora son importantes. Recuérdese que el maravedí fue durante siglos una moneda virtual, inexistente, que valía para valorar y computar, aunque luego se cobrase o se pagase con otra moneda. Seguramente somos millones los españoles que, durante nuestro último trozo de vida, seguiremos calculando en pesetas-maravedís).

Aún con un trozo de tostada aguardándome, he podido aplicarme al periódico, en su sección cultural (ojo a este adjetivo); y leo que el conjunto de libros ofrecido por un afamado coleccionista para saldar deudas con Hacienda incluye «*incunables* de Cervantes». Sobresalto máximo: reciben ese nombre los libros que se publicaron desde «la invención de la imprenta hasta principios del siglo XVI»; con más exactitud, hasta 1501, es decir cuando aquel prodigio industrial andaba aún en pleno balbuceo, pero alumbrando ya Biblias, Sinodales, el *Tirant*, *La Celestina* y la primera *Gramática* de un romance, entre otras cosas. Lo dice el Diccionario, pero lo sabe cualquiera, menos ese redactor cultural, para quien *incunable* parece ser, simplemente, un libro muy viejo: un trasto de pergamino y polvo; y que por añadidura ignora por qué rincón de la historia anduvo el autor de aquellos «incunables», a quien un anciano y bondadoso auxiliar de mi Instituto infantil llamaba con voz trémula de admiración, «el ingenioso hidalgo don Miguel de Cervantes Saavedra y Fajardo». (Parece un chiste manido; en mi recuerdo no lo es). Pero vengamos a lo nuestro: eso de *incunables* está escrito por un universitario de hoy.

La movida de la Ley de partidos políticos agita también la lengua española. Un solo ejemplo de régimen gramatical: unos opinantes desean, dice el periódico, que el Defensor del Pueblo pueda *instar a la ilegalización* de los batasunos. Pero hay que *instar a alguien*, y aquí no se nombra a nadie. Cruce de cables: se puede *instar* al Gobierno, al Parlamento, a quien tenga tal potestad; sólo después se especificará *a qué* —no *qué*— se insta o pide; verbo este último que aquí sería muy tempestivo.

Pero hay más: el periódico afirma que «Aznar pidió a Pujol mayor *complicidad*» para sacar adelante tal Ley. Es cierto que el Diccionario define así *cómplice*: «Que manifiesta o siente solidaridad o camaradería. *Un gesto cómplice*». Pero también lo es, y más directo, el «participante o asociado en crimen o culpa imputable a dos o más personas». ¿Para qué gatuperio quería enredar el Presidente al President? Tratándose de lo que se trata, zape; ese adjetivo, lejos.

Estoy apurando el lento ataque al primer café, y aún se me entromete esto: alguien ha sido detenido porque «mantenía relaciones sexuales con los cadáveres» de un tanatorio. Es muy extraño eso de mantener *relaciones* con unos muertos; relación es 'conexión, correspondencia, trato, comunicación de una persona con otra'); el detenido, por lo visto, conectaba con ellos, pero no es de creer que fuese correspondido. Parece más adecuado el verbo empleado por Gironella en *Apocalipsis*, su última novela: *practicar* la necrofilia. Por lo demás, ¿con qué razón se les designa sólo como necrófilos a tales desventurados, hurtándoles su nombre verdadero de *violadores de cadáveres?* Los cuales, por cierto, no parecen individuos muy complicados. Cela joven obtuvo los permisos precisos para visitar en la prisión a uno de ellos: fue con la curiosidad de que tuviera madera de personaje tremendo. No ocurrió así: se limitó a contarle que, estando a solas con una difunta, se le agolpó irresistible la sangre donde suele. Me comentaba Cela: «Comprenderás que no puede sacarse ni una astilla literaria de un sujeto tan elemental».

No exportamos

Siempre negativo, pero, a veces, positivo; esto último ocurre cuando se puede ser paraninfo, esto es, anunciador de buenas nuevas; no se le hizo caso a Unamuno, y también nosotros inventamos; o lo parece. A propósito de un necrófilo que se *relacionaba* con cadáveres, según quedó contado anteriormente, hube de escribir el vocablo *tanatorio*, nombre de ese sitio de tanto silencio y reposo. Aunque sin entusiasmo, sentí deseos de saber algo de él, pero de las pesquisas consiguientes resultó que no se halla en otras lenguas de alrededor; por el oeste topamos con el *funeral home* (como aquel donde, con dolor de José Hierro, reposaba en Nueva York Manuel del Río, natural de España). Y si buscamos por el otro punto cardinal que aporta muchas novedades, encontramos *funérarium* para designar la citada cosa, reino del sopor.

No cabe nada más culto y más ajustado que nuestro *tanatorio;* sin embargo, con toda su refulgente belleza clásica, no ha logrado visados para ir por el mundo. Tan hermoso vocablo está formado por el griego *thánatos*, 'muerte', y el sufijo *-torio*, que, entre otras cosas, indica 'lugar': *laboratorio, ambulatorio, observatorio;* o *purgatorio*, si se desea algo de junto al *tanatorio*. Este término fue introducido en nuestra lengua acompañando a la cosa, lo cual debió de ocurrir hace unos veinte años; la Academia acogió el vocablo en 1992. Orienta sobre cómo lo aceptaron los hablantes el hecho de que en 1994, describiendo nuevas costumbres, un personaje de Rafael Gómez Pérez lo confunde, cosa muy razonable, con *sanatorio*. Pero, en general, *tanatorio* no ha entrado en la América hispana, donde parece dominante *velatorio*, cada vez menos frecuente en España. Siendo tan razonable y significativo *tanatorio*, ¿cabe esperar que obtenga carta de ciudadanía en otras lenguas? (Pero quizá tampoco nos hacía falta, contando con *velatorio*, que no suena a difunto sino a personas vivas que lo acompañan con piadosa consternación).

Se trata de una noticia, a la que puedo añadir otra: *quirófano*. Me la señala como inventada, casi seguro, por un médico español, mi admirado Emilio Lledó, a quien nada del saber le es ajeno: la ha buscado sin éxito por todo Occidente, y, luego, yo también he fracasado. En efecto, ocurre que el inglés llama a lo mismo *operating theatre* o *room*; el francés, *salle d'opérations*; y el italiano, *sala operatoria*. Excepción: el portugués brasileño, que comparte con nosotros *quirófano*, quizá por contagio. Cuenta con dos formantes también griegos: *khéir*, 'mano' y *-fano*, procedente de *diapháinein*, 'mostrar'. Y, en efecto, el quirófano era el local en el cual podían verse operaciones quirúrgicas 'al través de una separación de cristal' (DRAE); etimológicamente, se veían, claro, las manos del cirujano; por extensión *quirófano* denomina hoy 'cualquier sala donde se efectúan estas operaciones'. Y el primer diccionario que acoge el vocablo es el de Alemany Bolufer, en 1917. Ocho años tardó en recibir la consagración académica.

He aquí, pues, dos ejemplos de aparente creatividad española; no en vano poseemos algunos de los mejores

helenistas europeos, aunque un poco taciturnos y melancólicos: sus invenciones no son joviales.

Pamplona celebró su San Fermín como suele: jolgorio puro y cornadas. Un munícipe ha prendido la mecha
de un cohete pero el chupinazo no se oído a causa del clamor popular, es decir, por el formidable *restallido* de la
plaza según clama una locutora; pero allí no han sonado
chasquidos de látigos u hondas, como en los tiempos pas-
toriles, sino gritos y taponazos de champán o cava. A ella
le daba lo mismo *estallido* que *restallido:* la embriagaba,
nunca mejor dicho, un furor de euménide.

No ha sido mala época para los atrevidos que, sin ser
poetas príncipes (a ellos solos reconocía Feijoo la facul-
tad de inventar voces), se han lanzado a la generosa aventura de enriquecer el idioma. En ellos, hay que admirar
muchas veces lo bizarro (en el sentido que se dio en francés a *bizarre:* 'raro, extraño por apartarse de lo común':
así veían los vecinos a nuestros diplomáticos del XVI y a
la gallarda gente de los tercios). Dígase si carece de tal
cualidad la oferta de la participante en una tertulia televisiva de las varias que deslumbran con la enorme va-
riedad y riqueza de sus saberes. Se estaba discutiendo
una cuestión candente, la del PER, gracias al cual tantos
campesinos aún pueden alcanzar el fin de mes. Y, junto
a casos de penuria inquietante, otros hablaron de abu-
sos en la percepción del subsidio: alguien los llamó *pi-
llos.* Y entonces, vehemente y corroboradora, la periodista mencionada, ilustre por cierto, salió afirmando que,
en ese asunto, hay mucho *pillaje.* El Diccionario dice de
pillo que equivale a 'sagaz y astuto', mientras que define *pillaje* como 'hurto, latrocinio, rapiña', y que es también 'saqueo' o 'depredación'. ¡Pobres perceptores, que a
lo sumo se ayudan con chapucillas, convertidos en la-

drones o desvalijadores, por gracia de quien asalta nuestras casas ignorancia en boca!

No es creación menor; paro las hay tan buenas, como la de aquel caballero experto en señales viarias que explicaba por qué predomina en ellas el color rojo; es porque *alertiza* mejor que los otros. ¿No apetece vitorear a sus ancestros?

Por cierto, alcanza auge extremo otro regalo latino; se están haciendo cábalas sobre los resultados probables de una etapa ciclista, y se dice de uno de sus participantes (o dicho audiovisualmente, *unidades*, como si fueran un tren) que «*a priori* se sabe que hasta el kilómetro cuarenta no atacará». Esa locución medieval escolástica es utilizada por cuantos desean modernizar su panoplia verbal, y la airean cuanto pueden. La han hecho equivaler a *de antemano* (que significa 'por anticipado o anticipadamente'), y esta locución, tan nuestra, va perdiendo presencia a costa de *a priori*. Los significados de ambas locuciones están próximos, muchas veces pueden intercambiarse, pero no siempre son idénticos. Leo en un periódico: «Sigue la tónica de esta primera semana de Tour, con jornadas *a priori* reservadas para los velocistas», o bien: «El futuro plan de jubilación anticipada de funcionarios, criticada *a priori* por algunas centrales». ¿Por qué suplantando a *de antemano* aparece *a priori* en contextos tan triviales? Éste es un término con muchos genes filosóficos y no debe tirarse a barato; con él se nombra al conocimiento que se alcanza independientemente de la experiencia: «*A priori* se sabía que surgirían variantes del virus»; pero aun aquí, la locución *de antemano* caería bien: urge rescatarla de su actual decaimiento. Ya está de quirófano; con otros achuchones más, se irá al otro probable y apacible hispanismo.

Provocaciones

Seguro que aún abundamos los capaces de encontrar normales cosas así: «Las lluvias *causan* estragos en China»; «El fracaso de las negociaciones *produjo* consternación en la gente», «El incidente *motivó* la suspensión del acto», «La metralla le *ocasionó* heridas leves», «Lo que dijo el simplón del alcalde *ha suscitado* comentarios muy jocosos», «Su actitud va a *determinar* que lo abandonen los amigos», «La noticia ha *originado* una nueva caída de la Bolsa» etc., etc. Pero las palabras escritas en cursiva parecerán superfluas a muchos informadores, que están a punto de enterrarlas y de izar sobre su tumba, en medio del camposanto, la bandera de *provocar*. Si en las frases anteriores sustituimos los vocablos señalados por el verbo *provocar*, estaremos hablando el lenguaje de la modernidad. Vítor.

Pero hay también ganancia cuando nuestras palabras quedan preñadas de significados nuevos, como resultado de su promiscuidad. Alumbran vástagos bordes. Ya sabemos que los cronistas deportivos son los más activos engendradores de idioma, violadores a menudo, y, así, dicen de un jugador alineado, por ejemplo, en tres partidos internacionales, que tiene tres *internacionalidades*.

Pero éstas son nonadas si se comparan con el magno conflicto que nos creó la ocupación de la isla del Perejil por una docena de *efectivos* marroquíes. Así se ha escrito y así se ha dicho, a pesar de la buena intención que nos guía al advertir con frecuencia que no hay *un efectivo*, esto es, un individuo que forma parte de una fuerza armada, sino *efectivos*, siempre en plural, constituidos por la totalidad de las fuerzas armadas que desempeñan una misión conjunta, y de sus medios de lucha. No *hay un efectivo, dos efectivos, tres efectivos...* Es palabra incompatible con los numerales, pero admite indefinidos (*muchos, pocos... efectivos*). Quizá la presencia de mujeres en el ejército dificulte hablar de *soldados y soldadas*, y se habla por ello de *efectivos*; pero *militares* es unisex, y puede haber un o una militar, dos militares, tres militares...; queda mucho mejor, dónde va a parar, que llamar *efectivo* a cada uno de los okupas agarenos. Su totalidad y sus armas, una barca, un barco, constituían *los efectivos* que intervinieron en la operación; los de los españoles, ya los vimos: soldados, guardias civiles, pero también fusiles, misiles, ametralladoras, barcos, helicópteros, aviones... Tremendo. (Pero ¿por qué no llamar *soldadas* a las soldadas? El genial humorista Tip invitó una vez a cenar a los Reyes, y en el brindis se dirigió a él con esta invocación: ¡Majestad!; y, vuelto hacía doña Sofía, la apostrofó con esta otra: ¡Majestada!).

Esta misma semana se ha «descubierto» un artículo en que Unamuno da crédito hormonal a la hipótesis hormonal de un francés según la cual el peñazo se llamó España y prestó su gracia a la Península. «Risum teneatis». Hoy, y con otro nombre, se ha limitado a ser un símbolo volcánico de soberanía, como lo fue aquel escudo de España que osaron arrancar de la muralla de Ceuta, en 1859, los sarracenos. A ellos les da por nuestras piedras: no nos las tiran, nos las quitan; y la charranada del escudo valió una guerra; por fortuna, ahora parece que sólo se ambiciona permanecer en el *statu quo* anterior; este latinajo diplomático, que significa 'en el estado en que se encontraban' las cosas, ha sido manoseado y convertido estas semanas, por muchos, incluido nuestro Presidente, en «*status* quo», inductor sin duda de perplejidades en Europa. Otros han llegado a más: a pronunciar «estatus qúo». Finísimos.

Por otra parte, el nombre *Perejil* con que se denomina ese pequeño eructo del mar es desapacible. Dicen que se llama así porque «antiguamente» crecían allí unos perejiles grandiosos; pero siempre suscitan sospechas esas explicaciones basadas en una incógnita antigüedad: se ha llegado a escribir en serio que Canarias debe su nombre a dos canes desmesurados (como los perejiles del Estrecho) que llevaron los conquistadores.

Hubiera sido preferible otra explicación de *Perejil*: los aficionados a las etimologías fantásticas creen que algún español (¿por qué no portugués?) del siglo XVI llamado *Pero Gil*, transformado en *Peregil*, había dado nombre a ese callo del pie de Ceuta; el nombre existió y existe como apellido hispano, escrito así, con -*g*-; pero no hay rastro del hipotético denominador de la isla. Ya Covarrubias (que, por supuesto, escribía *peregil)*, ofreció la etimología exacta; dijo de él que era un 'apio menudo' llamado en latín *petroselinum* (Plinio). Así es; el segundo formante del vocablo es *selinon*, 'perejil', que crece en el primero, en *petra*, la 'piedra'. Como el francés *persil*. Y dado que la hoy famosa islilla es acaudalada en pedruscos y no falta allí esa mata (los legionarios dicen que no la encontraron; ¡estas cabras...!), va a ser cierto que ella le dio ese nombre desabrido. No debe extrañar la -*j*- del vocablo; la Academia lo escribió así desde 1817 para diferenciarlo, casi con total seguridad, del antropónimo *Peregil* que llevan muchas familias (y algunos personajes literarios, como uno, granadino, de Washington Irving). Esa distinción gráfica en que aparece nítido *Gil*, se impuso desde entonces.

El nombre de la planta es tan poco lustroso como el peñasco utilizado por el recién casado para provocarnos (y aquí sí está bien el verbo). La sublime historia de aquel abortillo marino merecía haber inspirado otro modo menos agreste de llamarlo, más poético. En efecto, fuentes mitológicas de toda solvencia aseguran que fue erigido por Hércules, a la vez que Gibraltar, con el fin de asentar una de sus famosas columnas. *Perejil* es más deplorable aún, casi desgarrador, si tomamos otro camino y averiguamos que aquellos riscos albergaron el amor de la ninfa Calipso a Ulises; ella lo retuvo siete años a su insaciable merced. Ogigia dice Homero que se llamaba el tal lugar; eso era entonces pero, ahora, ilustres exegetas de la *Odisea* dan fe de que aquel amoroso secuestro ocurrió en aquel ombligo —así lo llama el poeta— cerca de Ceuta, que, Zeus sabe cuándo, acabaría llamándose *Perejil*. El gran dios citado, a instancias de Atenea, envió allí a Hermes para que la ninfa liberase al pobre Ulises, harto ya de tanto amor. El paisaje que pudo contemplar el mensajero parece bastante distinto al de ahora; pero todo cambia con el tiempo. Dentro de una gruta cantaba y tejía la insaciable, y, en sus proximidades, corrían claras fuentes, verdeaba la vid, crecían innumerables árboles y, Homero lo señala implacablemente, el perejil.

Calipso, cumpliendo órdenes superiores, permitió que Ulises construyera una balsa con troncos y sogas; montado en ella, el héroe de Troya se metió mar adentro, convirtiéndose así en el primer emigrante en patera de que hay noticia.

Reveses

Estos médicos europeos son tremendos. Véase, si no, el titular de un diario madrileño: «Duro *revés* de los médicos europeos a los holandeses por apoyar la eutanasia». Dieron, pues, un bofetón inverso a sus colegas, que eso es el *revés*, un tortazo dado con la mano vuelta. Resulta fantástico imaginar aquella marimorena de batas coléricas, expandidas por los Países Bajos atizando a sus colegas a modo de duques de Alba redivivos. Pero ocurre que el desafortunado titulador quería informar sólo de que los médicos del continente se oponen (¿todos?) al descabello humanitario patrocinado por sus colegas neerlandeses.

Leyendo diarios, los nervios de un lector moderadamente sensible pueden recibir cien descargas como ésa por minuto. Aunque no se la atienda hoy mucho, sigue vigente la necesidad de que toda persona, casi desde el parvulario, se vea obligada a aprender dos lenguas: la hablada y la escrita. Ambas comparten amplias extensiones del mismo territorio, pero no todo él. La gráfica se aprende con bastante retraso respecto de la oral, el dominio de ambas nunca llega a ser completo y es mucho más difícil ser competente en la primera, privada como está de los gestos y tonos que a menudo permiten entender cuando nos llega un mensaje reñido con el léxico y la gramática.

Esa atención a la escritura formaba parte de la educación escolar, y su finalidad no era sólo el aprendizaje, sino la creación de hábitos de duda en la propia pericia expresiva: ¿era aquélla la mejor manera de hacerlo?, ¿no ofrecía el idioma vehículos mejores para transportar el sentido? Tales hábitos, bien se comprende, tendrían que ser consustanciales con el uso profesional del lenguaje, de modo eminente en el ejercicio de la docencia, la abogacía, la política, la publicidad, y, como es natural, el periodismo. Aquella actividad temprana contagiaba además la saludable práctica de no llegar a la decisión sin pasar por la duda, incluso en los trozos de vida que no eran lenguaje. Hoy apabulla la cantidad de personas que, escribiendo para el público, obran sin miramiento con el idioma del cual viven: allí lo cogen y allí lo matan.

Veamos algunos ejemplos. Un conocido político socialista anunció que, en la votación de una ley, lo haría contra su partido. Y un compañero «le recordó las virtudes de la disciplina de voto una vez que el asunto se ha discutido *endógenamente*». ¿Qué tendrá que hacer ahí ese adverbio?; el adjetivo *endógeno* significa 'Que se origina o nace en el interior de algo', y se emplearía en frases como «el desacuerdo obedece a causas endógenas», es decir, que se han generado dentro del partido, por causas internas. El autor de la denuncia se quedó en el cole con que *endo-* significa 'dentro', pero no llegó a enterarse de que, unido ese formante a *-geno*, se matiza con la nota de que algo 'se ha *causado u originado dentro* de algo'; y, puesto que la posición ante aquella ley había sido discutida dentro del partido (¡pero no generada!), le vino al teclado semejante sandez.

En una página anterior precavíamos contra el uso cafre de la locución latina *a priori*. De la misma familia etimológica (*prior*) es *prioridad*, vocablo que otro tartaja mental emplea impávido en vez de *antes que* en esta cochambre verbal: «Por una vez, el sentido práctico y la *prioridad* a los resultados han guiado el proyecto». Con lo sencillamente que un hablante antiguo diría: «Por una vez, el sentido práctico y la atención preferente a *los resultados...*».

No hay modo de que entren en razón estos osados de mente abuhardillada. Se ha propuesto una ley referente a la asistencia médica; un periódico subtitulaba así la noticia: «Los socialistas piden que se fije un catálogo de prestaciones común a todas las comunidades» (¿por qué no escribir este último nombre con mayúscula, para diferenciarlas de otras menos rentables?). Pero el titular estampado en letra grande y gorda rezaba: «El PSOE propone una ley que garantice la *equidad sanitaria* tras las transferencias». Consulto el Diccionario: no contiene ni la más pequeña tolerancia, ni la atenuante más comprensiva que permita hablar de *equidad sanitaria*. Otro latinista como el anterior: aprendió, Dios sabe dónde y cuándo, que el formante *equi-* significa 'igual', y se dijo que si la ley pretendía que todos los españoles recibiéramos trato *igual* en la enfermedad, eso era *equidad sanitaria*. Asombroso.

La prisa es el burladero a que suelen acogerse tales prevaricadores; lo cual tiene un pase si es excepcional, pero no cuando la faena suele fundarse en frecuentes desarmes. Muy a menudo, casi no se nota la tropelía, como aquí: «Los terroristas contaban con un listado de más de mil objetivos, algunos de ellos muy *elaborados*». El lector entiende, pero tal vez se pregunte cómo se elaborará un objetivo.

Y en esa misma noticia, leemos: «La policía averiguó que ETA *se nutría* principalmente de periódicos y revistas del corazón...». Si nos hacemos fuertes y seguimos leyendo, sabremos que aquella nutrición no servía a ETA para engordar, sino como pista para sus balas. Es imposible saber hasta dónde puede el ansia, el hambre de los metafóricos, nuevos rocinantes. Extraña que, a éste, el ordenador no le haya sacudido un calambrazo al teclearle el tropo.

Por fin, un articulista recuerda que, allá por mayo o junio, «Zapatero y Yussufi celebraron una entrevista *bilateral*». No era la primera: «Al igual que en diciembre, cuando el líder del PSOE realizó una visita *bilateral* a Rabat...». Tal vez quisiera decir que no era oficial o que se celebró de tapadillo o que no intervenían más que ellos dos, cualquiera sabe; pero, por ejemplo, ¿podrá decirse que, digamos, una arcaica estrella de cine tiene una relación *bilateral* con un mozo cubano? ¿O que un psiquiatra mantiene una relación *bilateral* con sus pacientes? ¿O el confesor con el penitente?

Con motivo del inolvidable rifirrafe del Perejil, escribe otro informador que el tal Yussufi lanzó contra España «amenazas *altisonantes*». Pero el Diccionario tampoco aclara cómo fueron las amenazas de tal sujeto; dice, en efecto, que *altisonante* califica al 'lenguaje o estilo en que se emplean con frecuencia o afectadamente voces de las más llenas y sonoras'. ¿Amenazó Yussufi a gritos, o acometió su soflama tan sublimemente como Castelar: «¡Alá es grande en el Gurugú!»? ¿No querría decir que las amenazas fueron *graves*, *fanfarronas*, *arrogantes*, *insolentes*, *altivas*... Cualquiera sabe: fueron *altisonantes*. Esto están graduando nuestras universidades: expertos en arrear reveses al idioma.

¿Especialidad?: Generalista

Santiago Montero Díaz fue una de las mentes más lúcidas e ingeniosas de la posguerra; Franco, tan picajoso, lo desterró porque le incomodaba que aquel profesor casi bohemio le hiciera oposición desde el nazismo radical (fue determinante, se decía, que, en una conferencia, lo llamara «rata vaticana», por abandonar el barco de la verdadera revolución). Dejó honda huella en sus alumnos; yo no lo era, pero sí amigo de algunos de ellos, gracias a lo cual tuve el privilegio de compartir mesa y mármol con él en muchas cenas de tasca gallega, no raramente alcohólicas. Su talento deslumbraba; dejó escasas huellas escritas pero sí, y muchas, en cuantos lo frecuentamos.

Protagonizó anécdotas irónicas de valor incalculable. Por ejemplo, cuando, en una tertulia donde un famoso barman había sacado a relucir el nombre de Einstein, se dirigió a él llamándolo Montero a secas. «Pronuncia usted bastante mal», le contestó, «porque *Einstein* se pronuncia 'Ainstain', y *Montero*, señor Montero». Un buen día fue presentado por enésima vez a un ministro falangista, el cual, al saludarlo, le dijo que su nombre le sonaba mucho, aunque no sabía de qué. La respuesta del sutil profesor fue instantánea: «También a mí me suena el suyo. ¿No toreó el domingo en Pamplona?».

Otro episodio ocurre en la Universidad de Oviedo, que lo había invitado a pronunciar una conferencia; presidía el acto el Rector, viejo, cansado de aquellas ceremonias latosas y, para dar la palabra, creyó conveniente decir algo sobre el conferenciante. Presentaba al auditorio, anunció, a un joven catedrático, historiador según creía, y especialista... Al presentador se le fugó aquí el santo, por lo cual preguntó al orador, que aguardaba de pie en la tribuna: «¿En qué es usted especialista, señor...». (ojeada a una nota). «¿En qué es usted especialista, señor Montero?». A lo que éste respondió con el máximo respeto y no menor modestia: «En la totalidad, señor Rector».

Apenas oigo llamar *generalista* a un médico, se me sube a la cabeza esa anécdota: un *generalista* ha de ser, necesariamente, un especialista en la generalidad, de igual modo que aquel —para mí— inolvidable maestro confesaba con irónica modestia serlo en la totalidad. Pero nuestros *generalistas* no se designan así ni en broma ni con modestia: su campo de acción es el índice completo de un tratado de Patología.

Como es natural, el nombre procede de irradiación norteamericana. Quien en 1985 leyese en la prensa que «el médico de cabecera del presidente ruso Chernienko, un prestigioso especialista...», lo tomaría como despiste. Porque llamábamos *médico de cabecera* al que no era *especialista*, e igualar ambos términos constituía una contradicción.

Sin embargo, por entonces, las condiciones de la vida y las del trabajo médico habían empezado a experimentar un gran cambio; desaparecía la estrecha relación entre el enfermo y aquel atento señor que iba a su casa a visitarlo y lo confortaba con su inapreciable presencia, le tomaba el pulso reloj en mano, lo exhortaba a ponerse bueno, y le ordenaba continuar en cama. Por los años setenta, la medicina hospitalaria, impulsada por el Estado, iba dando mejor servicio clínico y rompiendo o atenuando aquella relación. El doctor Segovia Arana decía en 1980 que los españoles habían pasado del *médico de cabecera* (término que está en el Diccionario de Autoridades, en 1780: 'El que asiste especialmente al enfermo') al *hospital de cabecera*. Ello obligaba al primero a perder su nombre, pero sus funciones esenciales no debían desaparecer. Por lo cual, en 1980, Rovira Tarazona, ministro de Sanidad, se propone reconstruir la comunicación directa, confiada y continuada entre el médico y el paciente, o, visto de otro modo, se deseaba restaurar, pero con otro nombre, la «asistencia primaria o de primer nivel»; para ello, decía el ministro, se estaba potenciando «la figura del *médico de familia*, que viene a ser el auténtico médico de cabecera, pero con los conocimientos más actuales de los avances médicos». Se trataba del *family phisician* yanqui que, como el médico sustituido, debía conocer casi familiarmente al enfermo, y saber más que su predecesor.

La continuada modificación de la estructura sanitaria determinó que el término *médico de familia* no cuajase demasiado, y que el anglicismo antedicho, *generalista*, fuera a instalarse en la terminología del oficio; no significaba lo mismo, pero casi. En efecto, el inglés, a principios del siglo XVII, con su lógica insensibilidad latina, había formado *generalist* para designar a quien poseía destreza para hacer cosas muy distintas; no médicas, por supuesto. Y cuando, a mediados del XIX, surgió la necesidad de conocimientos más profundos en espacios más reducidos del saber, ese idioma (¿o el francés) forjó el vocablo *espe-*

cialist (La definición es bien conocida: llamamos *especialista* a quien sabe cada vez más de cada vez menos).

El caso es que la lengua francesa acudió a la inglesa para extraer *généraliste* cuando, a mediados del siglo XX, la relación entre enfermos y galenos, según hemos dicho, había cambiado tanto. Frente a la «medicina general», proliferaron las «especialidades», y, entonces, por la década de los ochenta, el español, el italiano y el portugués acompañaron al idioma vecino adoptando la oposición anglosajona *especialista / generalista*, y tragándose la contradicción interna que anida en este último vocablo. De ese modo, la necesidad impuso su ley: el *médico de cabecera* estaba pachucho, crecía la importancia del *médico de familia* (por aquello del inglés, y porque el galeno ya no frecuentaba de ordinario cabeceras), y había triunfado el *médico generalista*, cuyo saber hacía innecesario acudir al especialista, y atendía complejidades necesitadas de varios especialistas. La Sociedad Española de Medicina de Familia aceptaba lo consagrado, afirmando: «El médico general o médico de familia es un *generalista*», y todos tan anchos como si *médico general* no dijera lo mismo; y, aunque feo y sin el relieve prestigioso que confiere el sufijo *-ista*, resulta mejor que *generalista*. Pero como esto es ya imparable, la Academia ha tenido que introducir ese vocablo en su Diccionario de 2001: *generalista* es en él quien en su profesión 'domina un amplio campo de conocimientos'; y pone como ejemplo *médico generalista*. Así que todos contentos, menos el idioma que chirría con ese término; la Academia debiera definirlo monterianamente: «Especialista en la totalidad».

Parejas de hecho

¿Quién dijo que los comentaristas deportivos son los más porfiados agresores con que cuenta el idioma? Pues no; en ocasiones, resultan ser muy finos arcaizantes. Hace ya muchos años llamé la atención en algún «dardo» sobre su empleo terco del imperfecto en *-ra*. Y aportaba aquel soberbio ejemplo, en que el locutor, dando cuenta de los abrazos de despedida que estaba recibiendo un jugador, dijo que quien se los daba en aquel momento era el «masajista que tantas veces lo *masajeara*». El encopetado vejestorio gramatical que es ese subjuntivo, en vez de *masajeó* o *había masajeado* (verbo casi obsceno que, seguro, habitará pronto en los sótanos del Diccionario), es un noble residuo gramatical propio como mínimo de vizcondes («Lleva un título que *otorgara* Isabel II a un amante de mi tatarabuela, con aquel corazón generoso de Su Majestad»), no abunda ya tanto, pero está bien presente en la parla futbolera: «Ronaldo que *militara* otrora en el Barsa y después en el Inter, y que se *lesionara* jugando en este...». Pues sus usuarios, no conformes aún con tanta antigüedad, apelan a menudo a otra palabra de levita cuando dicen por ejemplo que «Sergi está *presto* para saltar al terreno de juego». Adjetivo que encaja bien en los escritos literarios o casi, pero que, en el coloquio, impresiona tanto como un bañista con gola. Parece obvio que los usos orales debieran ser los propios de tales narradores de micro (¡y cuánto abusan de ellos muchos de ellos, aplebeyando pedestremente el idioma, empedrándolo de tacos soeces, violando la libertad de expresión hasta delinquir!); en el idioma llano que hablamos, ese *presto* sume en estupor si pilla de repente y no se está previamente *dispuesto* o *preparado*.

Hemos escrito líneas arriba que el subjuntivo tipo *masajeara* por *masajeó*, «no acaba de *estar ausente* de...». Se empleó esta perífrasis en una reciente disertación televisiva, y no es fábula, sobre la *acrilamida*. Millones de hablantes ignoramos qué es esa sustancia (para información de urgencia, consúltese Internet), y, sin embargo, hasta en el plato se nos mete. Porque según el experto disertante, «hay pocos *alimentos que estén ausentes de acrilamida*». Lo de menos es aquí ese extraño aliño de las comidas, sino la noticia de que nada de cuanto ingerimos *está ausente* de él. Créase que lo dijo así; y que el susodicho es capaz de advertir a alguien: «No te contesté *porque mi casa estaba ausente de mí* en agosto». La idiotez fue eyaculada por un científico (?), el cual, de haberlo reprendido alguien, tal vez hubiera alegado eso de «no soy de Letras...»: la excusa que ampara a tantos de su jaez, como si los de Letras fuéramos incapaces de transgredir, y como si no tuviésemos todos la obligación de tratar el idioma con buenos modales.

En este continuo deslizamiento de significados que va privando de matices nuestro hablar, haciéndolo por ello más ramplón, avanza la intromisión de *incidente*, bien suplantando a *accidente*, bien donde no debe, según se aprecia en la noticia de televisión que contaba cómo un hombre había sido gravemente corneado en San Sebastián de los Reyes durante el encierro que celebra tal población a la manera de Pamplona, porque hay gustos para todo. Dijo la locutora que el *incidente* había ocurrido cuando un toro se rezagó, etc. No es confusión escasa. Tengo anotado que, semanas antes, dando noticia de la terrible caída de un avión en Ucrania cuando hacía acrobacias sobre una multitud de espectadores, una radio precisó: «los aviones volaban ante un *auditorio*» de varios miles de personas; y una televisión nacional contó que el *incidente* había causado tantas o cuantas víctimas. Los medios se hartaron de llamar así al incendio del Pirulí madrileño.

Los confundidos no aciertan a ver que los incidentes resultan de enfrentamientos *entre personas*, con o sin resultados graves. El accidente, en cambio, es una contingencia que acaece *interviniendo cosas*, aunque con frecuente afectación de personas y funesta a menudo. Así, un choque de trenes o la caída del mencionado avión. Será, en cambio, *incidente* la tángana que los sensitivos chicos del césped organizan por un quítame allá esa colleja. O el encontronazo diario entre batasunos y Ertzaintza. La gravísima cogida en el pueblo madrileño no fue un *incidente* porque no ocurrió *entre* personas, ni tampoco *accidente* porque la res, al embestir, obraba con fiera voluntad de dañar: fue sin más una cogida.

Entre lo mucho hablado o escrito que hiere la sensibilidad, y mucho, está la pululación de *credibilidad*. Saqué esto de un diario: «Garzón da mayor *credibilidad* a González que a Ybarra»; basta abrir el archivo académico de datos para toparse con una multitud de profanaciones así. No sólo en periodismo: también por la literatura se extiende la infección. En tales casos, ese vocablo desplaza al legítimo, esto es, a *crédito*, que ya Autoridades definía en 1729 como 'la fe o creencia y asenso firme que se da a lo que otro dice'. Por tanto, el bravo juez creyó más al señor González (el del Banco no azul) que al señor Ybarra. El *crédito* es condición que puede atribuirse a algunas cosas (opinión de mucho *crédito*, premios de escaso *crédito)*, y tiene otros usos que aquí no importan, en especial los económicos, entre los cuales reina bien tiesa la tarjeta de plástico. *Credibilidad* es, sin embargo, aquello por lo cual algo merece ser creído: «Su declaración goza de *credibilidad* aunque no hay testigos»; «Es un reportaje con escasa *credibilidad*». ¿Por qué esta palabra ha desplazado casi por completo a *crédito?* Lo expliqué hace años, y ahí sigo: desde el latín vulgar, la desnutrición idiomática prefiere lo largo a lo corto. Se van constituyendo así estas parejas de hecho *(incidente / accidente, crédito / credibilidad)*, y otras aún más risibles, por ejemplo la que, en televisión, ilustraba hace pocos días imágenes de un desastre fluvial, *capturadas*, según decía aquel bello busto, «por nuestras cámaras». Añadamos, pues, a las anteriores la mixtura: *capturar / captar*.

Y podemos recordar algunas que, lejos de esfumarse, engordan. *Escuchar / oír* constituyen mi mayor desengaño; emprendí hace mucho una cruzada contra la confusión, y no he podido con la conjura de infinitos radiofonistas, destructores del distintivo entre ambos verbos, esto es, de la nota 'con atención' que aporta *escuchar*. Se puede oír sin escuchar y, a la inversa, se puede escuchar sin oír apenas cuando, por ejemplo, se escoña —está en el Diccionario— la megafonía, y se hacen vanos esfuerzos por enterarse. Y así, «¿Me escuchas Mara?» (ciento veintidós veces cada noche), exige la respuesta: «Sí, pero no te oigo; ¿hablas desde un móvil?». (Mejor, la invención de Umberto Eco: telefonino).

Con los deberes hechos

Ya estamos todos. Hemos vuelto al pie de la misma montaña, la del año pasado, la del anterior, la del anterior.... Hay que subir empujando la peña, aun sabiendo que rodará otra vez. Debemos descansar de las estúpidamente llamadas «*bien merecidas* vacaciones». Desde fines de junio, sacan por la tele kilómetros de parálisis motora rumbo a la playa, que aguarda llena de mosquitos, plásticos y rayos ultravioleta. Pero, según digo, hemos regresado y ya estamos completos: las tiendas han abierto, y es posible cortarse el pelo, encontrar los quioscos expeditos, y hasta enfermar y hallar a los médicos con las batas puestas. Debemos, pues, descansar del descanso currando y dando cada uno su propio callo. Yo habré de pasar este otoño, la más noble estación, sumido en compromisos intempestivos. Y de momento, he de hacer diversos deberes. Palabras estas últimas que repiten un tic convulsivo de moda: apenas alguien ha concluido una actividad corta o larga, se dice de él o lo dice él mismo que *ya ha hecho los deberes*.

Es bien sabido que tal expresión procede del lenguaje infantil; la emplean los niños al caer la tarde, apenas cierran el cuaderno y desean ver la tele. A algún adulto se le ocurrió usarla con ánimo jocoso y fue ocurrente la invención. Pero ha venido después un tropel de secuaces

243

que la repiten con gracia melindrosa y pueril, como ese grave señor, tal vez subsecretario, tal vez ejecutivo de una multinacional, con barbita recortada y gafas; o esa presentadora de televisión sin lo uno ni lo otro, anunciando que, desde el poco hacer, se van a arrojar al *dolce non far niente*, porque *ya han hecho los deberes*. Lindo pero cargante, y señal de hipotálamo afectado.

Por lo pronto, la temporada comienza con ebrias confusiones. Ahí están los extranjeros que, patera o autobús mediante, huyen de su hambre nacional y a los que aquí llamamos justamente *inmigrantes:* han entrado en *(in-)* nuestro país y en él están. Hay caos, en cambio, cuando, al recordarlos, se llamó (TVE) *inmigrantes* a los españoles que fueron a buscarse el pan entre sobras europeas. Se producía así una salida *fuera* de su tierra *(e-)*, esto es, una *emigración:* avergüenza de tan elemental. Pero el reduccionismo practicado por muchos comentaristas e informadores va a cercenar el par de antónimos: ahora, todos *inmigrantes.*

Y entramos en el otoño con los verbos bailando. Por cierto, es frecuente oír, queriendo significar que algo se ha expresado repetido clara e insistentemente, que se ha hecho *con sujeto, verbo y predicado* como si el verbo no constituyera el predicado o no formara parte de él. Más frecuente aún es lo de que eso mismo ha sido dicho *por activa, por pasiva y por perifrástica*, haciendo que este adjetivo denomine una clase de voz verbal, al igual que los otros dos. Ridiculez seudogramatical usada para molar de cultura.

Pero viniendo a los verbos mismos, desde comienzos del siglo XX América empuja (Rómulo Gallegos) hasta hoy (Sábato y García Márquez), favoreciendo la construcción *arrasar con*, en frases como «el vendaval *arrasó con* todo», en vez de *lo arrasó todo*. Según el archivo académico, ese extraño *con* viaja últimamente por España en prensa, y algo, casi nada aún, en libros. Pudiera haberse originado aquí por poligénesis, pero más parece un rasgo del español americano en trance de trasplante. No puede objetarse, visto su arraigo en aquel continente y entre autoridades del idioma como las citadas. Obedece, sin duda, a la escasa utilización allí (siempre según los caudalosos registros de la Academia) del adjetivo *raso* en la acepción de 'plano, libre de estorbos', mientras que aquí lo empleamos normalmente. *Arrasar* ha roto pues, parece, en el continente hispano su conexión léxica con *raso*, y ello ha desustanciado semánticamente tal verbo dotándolo para recibir *con*. A cambio, *arramblar con*, 'arrastrar algo llevándoselo con violencia', no se registra apenas en aquel continente, mientras que es normal en España. El gran venezolano Rómulo Gallegos, en quien hemos visto *arrasar con*, emplea también *arramblar con*, lo cual permite sospechar un cruce entre ambas fórmulas producido en Ultramar. Por lo demás, *arramblar con* obedece a antigua y similar desconexión: se formó olvidando el significado primero de *rambla* ('arenal' y 'suelo por donde las aguas pluviales corren cuando son muy copiosas'), y no se vio, por tanto, la relación entre ambas palabras.

(Hasta aquí había llegado cuando me anuncian que el arroz aguarda; mi mujer ha puesto un noticiario de televisión, donde se dice algo que urge airear: la locutora informa de que un novio ha matado a su novia con la que tenía *un hijo en común*. Aunque tal vez haya que expresarlo ahora así: dada la cantidad de ayuntamientos entre padres y madres previos, si de ellos florece un nuevo bebé, será el que han elaborado *en común*.

Pero volviendo a la danza de verbos, otro noticiario da cuenta de cómo «Zapatero reiteró que el PSOE está dispuesto a *coparticipar* en la política de la lucha anti-terrorista». Con tal prefijo, el verbo refuerza la decisión con que el líder socialista va a arrimar su hombro a los de otros en tan urgente empresa: no sólo va a *participar*, sino a *coparticipar*: otra albarda sobre otra. Pero, tal vez resulte un vocablo útil y fino para ligar: *¿Coparticipamos en un tema en común?*, podrá proponer el flechado o la flechada a quien flecha, pronunciando con malicia el vocablo *tema*.

Un fenómeno observable desde hace años es la conversión de verbos intransitivos en transitivos, lo cual permite hoy construir *pelear* o *luchar* una herencia. Lo he señalado abundantes veces; he aquí una más: «Un asunto oscuro *ha tambaleado* la confianza de los clientes en esa entidad financiera», con un espantable *tambalear* transitivo.

La joya que sigue aprovecha el auge de *erradicar*, verbo viejo en su significado etimológico de 'arrancar de raíz', y bastante joven cuando se emplea metafóricamente en frases como *erradicar el analfabetismo* o *la violencia*, empleo del que el banco de datos de la Academia guarda 97 casos entre 1970 y 1980, mientras que son 1.128 los que registra desde el año 1990 y el 2000. Pues bien, tan imparable ascenso ha permitido excretar por la tele que una comida envenenada «*ha erradicado la vida* de docenas de personas en China». Ni Góngora.

Brindis triste

Está cerca de su ápice la temporada taurina, y el terror ya lleva tiempo recorriendo otra vez las ganaderías. Es un enorme holocausto zoológico que ocurre entre el jolgorio humano al que, por lo visto, sólo conmueve la sangre del diestro y no la del hermoso animal que compartía con nosotros la vida. Pero, aun detestando tales festejos sin verlos —«que no quiero verla»—, era maravilloso contemplar cómo los contaba Joaquín Vidal en sus crónicas; se advertía que eran casi sólo pretextos para ejercer el arte —y el alma— de la palabra. Se ha alabado siempre al estilo de los cronistas de toros, y, en efecto, han abundado quienes se han lucido en ese empeño; muchos, con un estilo de capa y caspa, suscitador de loas entre cursis.

Joaquín Vidal hizo moderno el género, y otro público nada castizo lo esperaba los lunes para leer su espectáculo del domingo. Muchas veces supuse que el secreto de su maestría estribaba en que no le gustaban los toros: sólo así, vistas las cosas con desapego, puede decirse algo interesante de ellas. Me escribió por Navidad: «En mi carta anterior le hablé de que andaba falto de moral y físicamente tocado. Me quedé corto: la cornada era seria». Lo era; ya no habrá más crónicas suyas; y si esta

247

columna fuera menos frívola, se la brindaría como un brindis fúnebre.

Hoy no es habitual que quienes escriben sobre la fiesta orlen de caspa sus dichos o escritos; pero bastantes de ellos los nievan con algo peor: la ignorancia agresiva. Sigo asombrado de que empresas periodísticas y audiovisivas, algunas de ellas públicas, esto es, nuestras, miren con indiferencia cómo muchos de los asalariados comen mientras carcomen el idioma del cual viven. Leyendo a algunos u oyéndolos, me acuerdo de aquel requiebro manchego, según el cual, tuvo Dulcinea la mejor mano para salar cerdos. Prueba al canto: se está transmitiendo una corrida, y el transmisor comenta: «Es difícil el toro que le ha *cupido* en suerte a...»; y aquí, el nombre del matador. Pero otro cronista escribe —digo mal: es capaz de escribir— que otro torero *se la jugó a carta cabal* con el fiero mamífero que le «cupió». Ignora que tal locución adjetiva, y no adverbial, significa 'intachable, completo' (un hombre o una mujer *a carta cabal)*. Sin embargo, el enorme problema de nuestro analfabetismo idiomático deja indiferentes a quienes empujan a chicos y chicas a pedir justas mejoras en el sistema educativo, sin calcular —o calculándolo— que unos tumultuosos mezclados con ellos les quitarán la razón proclamando el derecho a ser mal enseñados, mal o nada examinados, y en modo alguno exigidos.

¿Más leña a ese fuego? He aquí lo expelido por una radio importante hace pocos días en que el cronista explicaba cómo el partido del sábado era difícil para un determinado equipo porque, dijo, sus rivales «son tremendamente *físicos*». Algunos amigos futboleros se extrañan de mi sorpresa: es muy común calificar así a un jugador cuando, como un tanque, arrolla contrarios y se mete empujando el balón hasta en la Basílica de Belén. Si se extiende el dicharacho, las niñas que por ahora han entrado gloriosamente en la primavera presumirán de novio físico frente a la amiga fina que, pues yo hija, lo prefiere delicado.

Nuestra vida moderna ha aportado la facilidad de las comunicaciones. Para qué sirve si por los *chats*, prodigios ingenieriles, circulan millones de chorradas, o si tanta televisión insulta a la inteligencia, y si el teléfono apenas sirve para más que para llamar a una señora o a un señor que están invariablemente *reunidos*. Toda buena secretaria precisa ejercicios de entrenamiento para pronunciar ese burdo absurdo gramatical (por 'está en una reunión') sin cansarse. Antes, quien nos interesaba se limitaba a «estar fuera»; ahora, cualquier jefecillo, y aun menos, aumenta su estatura estando *reunido* como un embajador.

Hay usos que van y vienen de siglo a siglo y de orilla a orilla sin acabar de definirse, porque los hablantes han hecho suyo un rasgo de su alrededor y, por tanto, juzgan incorrecto el ajeno. No me refiero, claro es, a quienes se mueven dentro de registros vulgares, carentes por lo general de conciencia idiomática refleja, sino a quienes la tienen. Yo confieso mi repelús ante el *dignarse a* hacer algo, y solo tengo por bueno *dignarse* hacer algo. La frecuencia del supuesto error me ha inducido a bucear por los fondos académicos con el fin de salir de dudas o meter en ellas.

El verbo *dignarse* se empleó, al menos desde el XVI, con la preposición *de*; así hace Cervantes cuando escribe «Pidiéndole se *dignase de* echarle la bendición»), y así proceden los clásicos, sin faltar uno, desde Alonso de Ercilla hasta el gran Andrés Bello. Es dudoso el origen de ese *de;* la asociación *digno de* produjo tal vez el contagio. Pero se mantuvo firme el secular *dignarse de* (vivo hoy en italiano: *degnarsi di rispondere;* conviviendo con *a* en portugués, según los contextos; y lo mismo en catalán: *No va dignar-se a respondre; S'han dignat de venir);* todavía en 1917, el académico Alemany señalaba que ésa era la construcción apropiada; y el Diccionario académico, en 1927, pone como ejemplo de tal uso exclusivo *Dignarse de otorgar licencia.*

Pero, a partir de esa edición el ejemplo desaparece: se dudaba seguramente de su licitud. Es casi seguro que, por esos años, ya alternaban el apeo de la preposición y su sustitución por *a,* esto es, *dignarse a* hacer lo que sea. El primer testimonio de lo último, probablemente producido por analogía con construcciones similares como *determinarse a, decidirse a, acceder a,* es, nada menos, de Pedro Antonio Alarcón. Pero si el buceo se adelanta en el tiempo, topamos con admirables autores contemporáneos de esta costa y de la otra que practican el preposicionismo con *a:* Llamazares, Mendoza, Cabrera, Mújica Laínez... Alguno alterna ambas posibilidades (Llamazares mismo, José Donoso). Lo que tenía —y tengo— por vulgarismo cuenta, pues, con muy eminentes padrinos. Y quizá, por ello, a pesar de la tenacidad con que ese uso ha prendido en los hablantes menos escolarizados, Seco lo califica de semiculto; igual podríamos tildarlo de semivulgar.

El trato de *dignarse* sin preposición *(No se dignó mirarme),* es abrumadamente mayoritario en los bancos modernos de la Academia. La cual, probablemente disconforme por la difusión del verbo rigiendo *a,* y olvidada hacía tiempo de *dignarse de,* introdujo en el Diccionario este ejemplo de buen uso: *Se dignó bajar del palco* (no pueden bajar de otra localidad quienes se dignan). Y es lo que escriben Carlos Fuentes, Vargas Llosa, García Hortelano, Torrente, Semprún, Buero, Arrabal... Lo que escribió o escribiría, a buen seguro, Joaquín Vidal.

Vigor y elegancia de la lengua castellana

A fines del siglo XVIII, un benemérito fraile llamado Gregorio Garcés escribió un libro destinado a probar lo que dice el título de arriba. Para estimular el buen uso, seleccionó breves textos clásicos donde sus autores decían ejemplarmente lo que querían decir. Seguro que al buen tonsurado le daría un aire si explorase nuestro alrededor.

Así, encuentro entre mis notas esta esmeralda sintáctica: alguien «comentó que el plantón *por parte del* ministro marroquí a nuestra ministra se esperaba *por parte de* muchos analistas políticos». El redactor, tartamudo, además de repetir el agente, lo infla; diría más y mejor sólo *por*. Pero al observar el lenguaje actual, quizá chocan más las palabras forasteras o maltratadas por la ignorancia. Así, en la misma noticia, se dice que Benaissa es *homónimo* de nuestra ministra, o sea que es tocayo de Ana Palacio. A estas alturas, aún hay profesionales de la pluma capaces de introducir tal confusión en nuestras relaciones con Rabat: pueden tomárselo a mal.

Y ¿qué decir de quienes al toparse con *ll* la mutan en *y* apenas abren la boca o se sientan ante un teclado? Es en un mismo diario donde leo que «El herido se *hayaba* en estado de embriaguez», y donde leí que, en una concentración futbolera, «madridistas y barcelonistas in-

253

tercambiaron *puyas* en su día de libertad». Según esta tosca prevaricación, en vez de dichos mortificantes *(pullas)*, los muchachos se agredieron con *puyas*, esto es, con los temibles bártulos de los picadores. Quizá recibió banderillas negras también alguno de aquellos infelices.

No es menor el enfado de muchos con *g* y *gu:* lo de llamar *cónyugue* al o a la *cónyuge* lleva una triunfal carrera; quizá la emprende ahora lo oído en un diario hablado: «Si Zapatero *pergueña* un proyecto puede ganar». Parece que la chapuza es el *signo* de nuestro idioma; así lo expresaría aquella locutora, queriendo decir *sino*. Sin duda es una semiotista, más fervorosa de Eco que del *Don Álvaro*.

Me han hostigado dos recientes empleos de *campeonar,* «ganar un campeonato». Parece ser invención peruana, adoptada en Chile, y ya asoma como inmigrante en la madre patria. No está mal: de almidón, *almidonar*; de coacción, *coaccionar,* y docenas de verbos formados así. Pero es un procedimiento morfológico que puede conducir a que padecer sarampión se llame *sarampionar* y a dar bofetones, *bofetonar.* ¿Vale la pena correr ese riesgo? En cambio, no constituye peligro, antes bien, salen a combatirlos unas tiendas recientes llamadas *condonerías*. Hacen olvidar los tiempos en que —según dicen— era prudente aguardar a quedarse solo en la farmacia y, por disimulo, pedir aspirinas antes que las capuchas; insistiendo en que, así se cuenta, en vez de expenderlas, el boticario o la boticaria hundían en la ignominia con un sermón.

Estas últimas palabras aumentan el vigor de la lengua española, pero no le añaden nada de la apostura preconizada por el P. Garcés: son bastante solípedas. Salgamos, por tanto, de ese recinto y entremos a donde conviven recientes finuras con antigüedades bellas.

Así, está llamando al timbre del idioma el extraño *cuota parte* que calca el francés *quote-part*, el cual, a su vez, sale del latín *quota pars;* caso de triunfar tal primor, quedaríamos emparejados no sólo con el francés, sino con el italiano y el portugués. Partidario de su implantación es el ex presidente González cuando le brota la Economía de Lovaina. Y ha tenido algunos seguidores; así, entre ellos, Julio Feo, asumía en un libro de 1993 su *cuota parte* de responsabilidad en la sonada singladura (así llamaba con poco norte a la excursión) del Presidente en el *Azor*. Es voz resultona, pero siempre se ha dicho en español simplemente *cuota*.

Prosiguiendo por las cumbres del poder, hallamos que «Rajoy no quiso adelantar *escenarios* sobre las futuras iniciativas del Gobierno». ¿Fue cosa suya o del informador? Sea el mérito de quien sea, la acepción revela una útil ultramodernidad; un *escenario* no es sólo el 'lugar donde ocurre o ha ocurrido algo' (el *escenario* del crimen), sino también, según la han echado al mundo los periódicos italianos, 'cada una de las situaciones diversas que pueden darse cuando algo ocurra'. Está bastante claro lo que el señor Rajoy —o su intérprete— quiso significar: las iniciativas futuras del Gobierno dependerán de las circunstancias de cada momento. No parece adopción desdeñable la de esta acepción neológica, ya que engarza bien con los otros significados de *escenario*, y da al español, como es habitual en cuanto viene de Italia, ese toque de «fascino intenso» que aquí llamamos «glamour».

Vengamos, por fin, a *terapia*, otro de nuestros elementos vigorizantes, pues procede del griego *therapeia* 'cuidado, curación', si bien algo maleado en su tránsito por el inglés. Así, sin funcionar como formante de otras palabras, el término es muy nuevo en español. El Diccionario no lo registró hasta 1956, como sinónimo de 'terapéutica': iba esta vez por delante de su consagración generalizada, ya que, según mis alcances, no se documenta en textos clínicos hasta los años sesenta; por entonces, Lezama Lima lo utilizaba también en relatos y, diez años después, Sábato. Pero, a partir de 1975, el uso se dispara, y el banco de datos académico vuelca en la pantalla casi dos mil empleos, sobre todo en prensa de aquí y de Ultramar; Emilio Lledó figura entre los escritores eminentes que lo naturalizan. *Terapia* fue hasta su actual apoteosis, no un vocablo independiente, sino un elemento integrante de vocablos que significaba 'curación por medio de lo que indica su primera parte': *psicoterapia*, *hidroterapia*, *helioterapia*, *fisioterapia*, y cosas raras como *apiterapia* o 'curación con el veneno de abeja', o exquisitas como la que emplea perfumes embriagadores (*aromaterapia*).

Pues bien, *terapia* triunfa libre y suelta. Manriqueñamante, ¿qué se hizo de *tratamiento?* Se defiende aún, pero en dura competencia con la *therapy* angloamericana. Hay contextos en que no funciona y que exigen *tratamiento;* tal vez no se acomode aún bien en «Antonio sigue con su terapia contra la calvicie», pero ya se acomodará. Y así, con *analítica* por *análisis*, *patología* por *enfermedad* y *terapia* por *tratamiento* tienen a nuestra Medicina hecha un Mount Sinai.

Índice de términos

huelgaria 96
humanismo 130
humanitario 48, 136, 165

ibn 135
incidente 240
incunable 219
inductor filosófico 108
ingresar 205
iniciar 82
inmigrante 244
instar 220
insuflar 88
interesante 94
islamista 136
-ismo 106

juicio 146

lapo 206
latazo 39
legislativo 51
legislatura 51
lesbiana 193
ley 51
liarse 39
libertario 97
libro verde 207
lío 39
locutar 86, 190
-logía 120
<LOL> 58
los de arriba 84

lucir 205
lugareño 152

macarrones 169
madrugada 33
mal rollo 39
mandatar 144
mandatario 143
manga ancha 200
manual instructivo 138
maratón, la 198
marcar la diferencia 94
marido 40
mediático 66
médico de cabecera 236
médico de familia 237
mega- 44
mercancía 83
mi chico, -a 40
mi pareja 40
mi pibito, -a 40
mimetizarse 69
momentáneamente 78, 184
morirse de risa 158
moro 128
mujer 40
muscular 93
musulmán 128, 168

Navidades 35
negro sobre blanco 126
nómina 167
novios 40

<ROTFL> 58
rumorología 119

salir del armario 195
salirse 59
saltar al campo 205
sarraceno 168
seis de la mañana, las 33
semáforo 154
sensaciones 94, 204
sentimental 110
sentimentalizar 172
señor 84
séquito 82
serafín 168
sesgar 90
sexo 196
sobre 90
socio, el 97
statu quo 229
sufrir mejoras 121
super- 41-44
súper 43

talibanes 167, 169
tanatorio 223
te comento 46
te cuento 45
Telefónica 53
tema 174
tener un enredo 39
tener un lío 39
tener una relación 40

terapia 255, 256
terrenal 127
tertuliano 103
<TIA> 57
tifosi 169
tramitar 93
transmitir 174
tres de la madrugada, las 33
tres de la mañana, las 33
tres de la noche, las 33
tropas militares 47

una de la madrugada, la 33
una de la mañana, la 32
una de la noche, la 32
unidades 113

vanagloriar 186
varar 118
vehiculizar 172
vello de punta 214
verás 45
verde 208
versátil 105
vibraciones 204
viejo verde 209
viejos tiempos, los 127
vigente 94, 114
villano 86
violencia de género 117

zapatazo 71